© Bayard Éditions, 1998
3, rue Bayard, 75008 Paris
ISBN : 2 227 60118 3
Dépôt légal : septembre 1998

Nihil obstat : Paris, le 4 juin 1998, P. M. Dupuy
Imprimatur : Paris, le 4 juin 1998, P. M. Vidal, v. é.

Et qui donc est Dieu ?

BAYARD ÉDITIONS

Cet ouvrage a été conçu
sous la direction de
Stanislas Lalanne

avec
Mijo Beccaria
et **Jean-Noël Bezançon**

et la collaboration
d'une équipe de rédacteurs
dont
Anne-Marie Aitken
Anne-Laure Fournier le Ray
Martine Laffon
Pascal Ruffenach
Monique Scherrer
Marie-Christine Vidal

Illustrateurs
Claude Cachin
Marc Daniau
Sylvie Montmoulineix
Nathalie Novi
Marcelino Truong

Un livre écrit pour toi

Avec ses dizaines et ses dizaines de points d'interrogation, voilà quand même un drôle de livre ! Rien d'étonnant quand on se souvient que les enfants adorent poser des questions. Ils commencent dès qu'ils savent parler. Et après, ils n'en finissent jamais.

Ici, il s'agit bien de vraies questions posées par de vrais enfants. Ils ont huit ans, dix ans, douze ans ou sept ans. Ils habitent aux quatre coins de la France. Ils s'appellent Chloé, Julien, Virginie, Simon, Arthur, Alice, Marion. Le plus souvent ils vont au catéchisme, mais pas toujours. Ces questions, leurs questions, ils les ont posées en écrivant à leur journal, *Astrapi* ou *Grain de soleil*. Parce que, pour eux, leur journal est tout proche, comme un copain qui serait en papier. Mais qui serait en même temps sage et savant comme une grande personne, pas du tout intimidante. Ces centaines de questions ont été triées, et celles qui ont été retenues ont été regroupées en douze chapitres. Ces questions partent dans tous les sens. Comme les feux d'artifice du 14 Juillet. Il y a les très pertinentes et les un peu impertinentes. Les questions de tout le monde, d'autres vraiment incroyables, auxquelles personne n'avait encore pensé. Des questions simples et légères comme l'eau claire. D'autres si graves, si douloureuses, qu'elles émeuvent ou bouleversent ceux qui les écoutent.

Qui a répondu ? Un groupe d'hommes et de femmes, journalistes ou prêtres, tous habitués à parler avec les enfants des choses de la vie et des choses de la foi. Ils ont répondu sérieusement. Avec beaucoup de patience. En prenant une question après l'autre. En essayant de bien comprendre ce que chaque enfant avait voulu demander. En employant des mots simples, mais sans jamais tricher. En disant vraiment ce à quoi ils croient, ce qu'ils savent, ce qu'ils ont découvert tout au long de leur existence, ce qui les fait vivre aujourd'hui.

Bien sûr, au bout, cela fait un très gros livre ! On ne peut pas le lire tout à la file. On le parcourt, on le laisse, on y revient. On s'arrête quand on rencontre juste la question que l'on se pose. Ou une autre, bien intéressante, mais à laquelle on n'aurait pas du tout pensé.

De page en page, de jour en jour, on avance, on retourne en arrière. On déniche de vrais petits trésors qui vous éclairent d'un seul coup, ou des explications plus savantes tout à fait passionnantes. Et on garde le livre près de soi. Pour les jours où justement une nouvelle question trotte dans la tête. Pour les soirs où l'on a le cœur de se sentir plus grand et l'envie d'avancer dans la vie.

On n'arrête jamais de se poser des questions. Parce que c'est cela même qui fait que l'on est des vivants, différents d'un joli rosier ou d'un mignon petit chat. Si le monde est aujourd'hui si fascinant, c'est bien parce que les hommes, depuis les cavernes jusqu'à l'arrivée sur la Lune, se sont posé des questions, ont cherché, ont inventé, ont trouvé des réponses. Alors, nous pouvons être fiers d'être des hommes questionnant !

Mais personne n'a vraiment toutes les réponses aux questions qu'il se pose. Il y a tant de choses invisibles, immenses, mystérieuses... Il reste toujours pour chaque personne, pour chaque enfant, des interrogations parfois inquiétantes, parfois douces et secrètes.

Cela n'empêche pas de vivre et de grandir. Bien au contraire ! Car s'il est possible de vivre sans connaître toutes les réponses, il est impossible de grandir sans se poser de questions.

Sommaire

5. Il était mort, il est vivant !

6. Et qui donc est Dieu ?

7. Croire, quelle aventure !

8. Le choix des chrétiens

9. Le poison du mal

C'était bien longtemps avant toi.

Avant les grands-parents de tes parents.

Avant le temps des hommes et celui des étoiles.

Même avant cela encore !

Rien n'avait commencé.

Mais déjà le *souffle* de Dieu était là.

Il planait sur l'immense silence

comme un bel oiseau sur les eaux.

Tu te demandes comment je le sais ?

Je ne l'ai pas inventé.

Ce ne sont pas les savants qui me l'ont dit.

Eux, ils ont du génie pour découvrir

comment la vie fonctionne,

mais aucun ne sait percer ce grand mystère :
Pourquoi on vit ?
Pourquoi on meurt ?
Pourquoi je suis moi ?

L'histoire du *souffle* de Dieu, je l'ai trouvée à la première page du plus beau livre du monde, la Bible. Elle nous révèle que Dieu fait exister le ciel et la terre au commencement,

et aussi aujourd'hui,

et encore demain.

Le livre dit que le *souffle* de Dieu est au départ de tout ce qui naît. Il est comme la respiration de l'univers.

En comparant la présence de Dieu à un grand oiseau qui vole, la Bible nous parle à la manière des Ancêtres. Car c'est un livre

bien plus ancien que nous ! Quand les mots sont trop étroits, elle parle avec des images.

Et finalement, elle sait très bien expliquer l'essentiel, même aux gens d'aujourd'hui !

Écoute-la encore.

Elle dit que nous, les hommes, nous serions juste un petit tas de terre et de poussière. Mais Dieu met en nous son *souffle* et nous prenons vie. Alors, lui et nous, nous pouvons nous comprendre. Nous sommes même si précieux pour lui qu'il souhaite lier sa vie à la nôtre. Il y a plus de trois mille ans, il a confié ce grand projet à un petit peuple qu'il a choisi entre tous, le peuple d'Israël. Il lui a promis d'être du côté des hommes, de ne jamais les laisser *à bout de souffle*. C'est une alliance à la vie à la mort. Quel Dieu pas banal ! Il n'avait pas besoin de nous, et voilà que maintenant il attend quelque chose de nous...

Il est malheureux quand nous lui répondons non. Cela nous arrive, à toi comme à moi, et à tout le monde.

Même Israël lui a souvent dit non.

Mais Dieu est patient.

Une patience d'ange, à côté, ce n'est rien ! Il n'a jamais retiré sa promesse.

Au contraire, il l'a renouvelée !

Voici comment.

C'était il y a juste deux mille ans, en Israël. Un homme s'est avancé, Jésus de Nazareth. Il rendait la vue aux aveugles et la liberté aux captifs. Pour lui, tout le monde était intéressant, les gens importants et les moins que rien. Des foules si nombreuses l'écoutaient que les autorités sont tombées jalouses. Qui était cet homme ? Vers ses trente ans, au moment où il recevait le baptême dans l'eau d'un fleuve, la voix de Dieu s'est fait entendre. Elle l'a appelé « Mon Fils bien-aimé ». Et au même moment, une colombe planait au-dessus de lui. Un bel oiseau, comme avant la naissance du monde.

Comme si le monde allait connaître un nouveau commencement...

Drôle de commencement.

Quelques mois plus tard, Jésus était tué sur une croix de bois. Cela ressemblait plutôt à une fin ! Or un immense événement est arrivé. Ses amis n'avaient pas encore séché leurs larmes qu'ils ont fait une découverte ahurissante : « Jésus est vivant ! » Oui, il avait fini d'être mort !

Victoire !

Pour la première fois, la mort avait cédé *au souffle* de la vie. C'était donc vrai, un temps nouveau venait de commencer...

Alors les amis de Jésus se sont souvenus. Mais oui, il leur avait dit : « Je viens d'auprès de Dieu. » Oui, il appelait souvent Dieu « Mon Père ». Petit à petit, ils ont compris que son visage était celui de Dieu le mystérieux. À travers lui, Dieu nous redisait son alliance, sans rancune ! Ils ont cru en Jésus.

Jésus les a envoyés annoncer cette découverte à toute la terre. Il a fait le geste de *souffler* sur eux pour leur transmettre son énergie.

Puis il a rejoint son Père. Eux sont partis pleins d'élan, et leur étonnante aventure s'est continuée depuis. C'est peut-être la tienne. C'est celle de l'Église, celle des chrétiens. Pour eux, le Père de Jésus est notre Père à tous. Cela nous donne un air de famille.

Pas si facile pourtant de vivre comme des frères ! Les soucis, les jalousies, les guerres nous font trébucher. En plus, nous avons peur de la mort. Elle pèse comme du plomb à nos semelles. Mais au milieu de tout cela, une petite espérance tient bon : comment Dieu pourrait-il nous détruire, lui qui nous a tissés au ventre de notre mère ? Tout ne sera pas fini après la mort.

À nous de faire confiance à Dieu. Bien sûr, on serait plus rassuré si on l'entendait en direct ! Ou si on avait des preuves qu'il nous entend !

Réponds-nous, Dieu ! Nous avons besoin de toi !

C'est le silence... Pas de miracle... Et s'il s'y prenait autrement ? Il nous a prévenus, il ne fait pas grand fracas. Il est là, c'est tout. Comme notre respiration. Elle est là sans cesse, mais on l'oublie, alors que sans elle on ne vivrait pas. Si Dieu est tellement présent, peut-être bien qu'il nous entend, peut-être même qu'il nous écoute avec soin ! Nous ne savons pas bien nous en apercevoir tout seuls. Nous avons besoin de la foi des autres.

L'Église de Jésus est notre point d'appui.

C'est elle qui te fait découvrir Dieu.

Elle t'apprend aussi à repérer sa trace tous les jours si tu es un peu curieux. Par moments, tu perds cette trace. Par moments, tu la retrouves, dans une parole qui te fait du bien, dans un geste généreux, ou dans un grand événement. Si Dieu est vraiment là, nous sommes sauvés. Quelqu'un nous aime, que nous soyons riche ou pauvre, en bonne santé ou malade, seul ou entouré. Quelqu'un nous ouvre l'avenir et nous donne des frères. La vie vaut la peine. Ça n'empêche pas de se poser plein de questions, 150 ou 1 000 ou 10 000...

Mais un *grand souffle* nous porte en avant.

Il nous rend plus légers.

Il nous donne des ailes !

Chapitre 1

Quand
tout commence

Où étions-nous avant d'exister ?

Avant d'exister, nous n'étions nulle part puisque nous n'existions pas.

Nous sommes tellement habitués à être vivants que nous avons du mal à évoquer le temps où nous n'étions pas vivants. Nous avons du mal à imaginer l'époque où nos grands-parents étaient des enfants… Ils auraient bien ri si on leur avait parlé de nous !

Nous trouvons incroyable de penser que personne ne nous connaissait ni ne se doutait de notre existence future.

Avant d'exister, nous n'étions rien du tout. Mais d'autres ont préparé notre venue. Nos parents, d'abord… Ils se sont rencontrés, c'est une chance inouïe ! C'est bien cela qui nous a donné une place dans la vie. Grâce à nos parents, à nos grands-parents, à nos arrière-grands-parents et à tous ceux qui sont venus avant, nous sommes des membres de la grande famille humaine.

Avant d'exister, nous n'étions pas encore, et pourtant quelqu'un d'autre, Dieu, nous avait déjà choisis et se réjouissait à l'avance de notre existence. Car notre vie ne vient pas seulement de nos parents. Elle jaillit d'ailleurs et son mystère est grand.

Dieu, il a bien dû commencer un jour ?

Au tout début de la Genèse, le premier livre de la Bible, il est écrit : « Au commencement, Dieu créa le ciel et la terre. » Ce mot de commencement fascine, on se demande : que faisait Dieu avant de créer le monde, existait-il, de quelle manière ?

La vie de Dieu ne ressemble pas à celle des hommes. Elle n'a ni début ni fin. Elle est éternelle. C'est pour cette raison qu'elle est difficile à imaginer.

Lorsque la Bible parle de l'éternité de Dieu, elle dit que Dieu est celui qui est depuis toujours et à jamais. Souvent la Bible utilise aussi l'expression « dans les siècles des siècles », pour nous faire comprendre que Dieu ne vit pas dans le temps des hommes.

Dieu est à la fois *au-delà* de tout commencement et *dans* tout commencement. Rien, ni la terre, ni le ciel, ni les hommes, ne peut commencer à exister sans Dieu. C'est lui le Dieu créateur, et personne ne l'a créé.

Y a-t-il eu le big bang ou la création en sept jours ?

La plupart des astronomes pensent aujourd'hui que l'univers a commencé, il y a quinze milliards d'années, par une gigantesque explosion : le big bang.

En 1965, les scientifiques Arno Pensas et Robert Wilson découvrent le rayonnement cosmique, une sorte de bruit de fond qui remplit l'univers, et ils démontrent qu'il s'agit de l'écho très atténué de ce fameux big bang.

Mais alors, comment croire ce que dit la Bible quand elle parle d'une création en sept jours ?

Tout d'abord, les conclusions scientifiques et les récits de la Bible veulent-ils vraiment expliquer la même chose ? Les récits de la Création au livre de la Genèse, écrits à deux époques différentes, le 6e et le 10e siècle avant Jésus Christ, racontent que c'est Dieu qui par sa parole a créé tout ce qui existe : la lumière, les ténèbres, le ciel, la terre, les étoiles, les eaux, les poissons, les oiseaux, les bêtes jusqu'à l'homme.

Il ne s'agit donc pas d'une étude scientifique sur la formation de l'univers, mais bien plutôt d'un grand poème à la gloire de Dieu unique et bon, créateur de l'univers et de toute vie. Le chiffre 7 des sept jours symbolise la perfection de toute l'œuvre de Dieu.

Les récits bibliques expliquent *pourquoi* la terre existe ; les recherches scientifiques expliquent, elles, *comment* notre planète bleue est née. Ce sont donc deux façons de réfléchir ; elles ne s'opposent pas, elles se complètent. L'une nous apprend « quelque chose » sur Dieu et sur sa relation aux hommes, l'autre « quelque chose » sur le monde et sur les hommes dans le monde.

De nombreux scientifiques cherchent comment fonctionne l'univers. Certains pensent que la terre ne s'est pas fabriquée toute seule, que ni la vie ni les hommes ne sont là par hasard. Ils croient en Dieu créateur d'un univers qui a probablement commencé par un big bang.

Comment a-t-on su que Dieu existe ?

Tout ce qu'on sait aujourd'hui, tout ce qu'on apprend à l'école ou dans la vie, quelqu'un l'a découvert un jour. Les savants qui étudient l'histoire nous expliquent quand et comment l'homme a découvert le feu, puis le métal, les continents, les planètes… Et pour Dieu, comment cela s'est-il passé ? Est-ce qu'il y a eu un homme spécial qui a découvert que Dieu existait, comme Christophe Colomb pour l'Amérique ?

Non. Dieu n'a pas été découvert une fois pour toutes, il y a très longtemps. Mais depuis que l'homme est capable de penser, il se pose des questions sur sa vie : pourquoi je suis là, qu'est-ce qui m'arrivera après la mort ?

Il doit bien exister un être plus grand que l'homme, un être invisible pour les yeux, et qui crée la vie. L'homme a appelé cet être « Dieu ».

Nous, chrétiens, nous savons que Dieu lui-même a voulu se faire connaître aux hommes, et qu'il est venu vers eux. Il s'est fait connaître de manière très forte à certains hommes, comme Abraham, Moïse, les prophètes. Et surtout par Jésus. Il se fait connaître aussi à chaque personne qui le cherche. Savoir que Dieu existe, c'est une découverte que chacun peut faire. Tout homme peut être un explorateur de Dieu.

Pourquoi chacun naît dans la peau d'un homme et non d'un animal ?

Dans l'univers, il y a une loi si simple qu'elle n'est écrite nulle part : c'est tout naturel, on naît dans la peau d'un enfant si l'on vient de l'union d'un homme et d'une femme. Si tu venais de l'union d'un éléphant et d'une éléphante, tu serais un éléphanteau. Mais tu es un humain, et tout ce que tu es te vient des humains… y compris ton besoin de te demander pourquoi tu es un homme.

Si tu étais né dans la peau d'un poisson, d'un papillon ou d'un lion, tu ne penserais pas comme un enfant, tu ne vivrais pas comme un enfant. Ce ne serait pas toi. Avec ton intelligence d'humain, tu peux comprendre le chant des oiseaux et être l'ami des chiens, mais tu seras toujours un humain.

Et puis, il ne suffit pas d'être « dans la peau » d'un animal. Qui serais-tu avec des poils de chameau ou des écailles de poisson ? Tu serais un chameau, un poisson. Ton corps n'est pas simplement une enveloppe. Avec une autre vie et un autre corps, tu ne serais pas toi. Ton corps, c'est toi-même !

Ta question touche au côté mystérieux de toute naissance. La vie jaillit sans que l'on sache pourquoi. C'est un cadeau de Dieu. Elle ne se demande pas, elle ne s'échange pas, elle ne se répète pas deux fois.

Tu es un être humain unique et tu es né pour vivre une seule vie, la tienne, dans ta peau à toi, celle d'un petit humain.

Qui a été le premier sur terre : Adam et Ève ou le singe ?

Les savants refusent de répondre à cette question. Ni Adam, ni Ève, ni le singe, ni celui qui oserait mettre sur une vieille carte de visite fossilisée il y a quatre milliards d'années : « Je suis le premier homme ! »

En réalité, à cette époque-là, plusieurs espèces d'hommes peuplent l'Afrique, qui semble bien être le berceau de l'humanité. Parmi ces premiers hommes, certains vont mieux résister au climat, aux maladies ; ou bien ils vont être plus rusés ou plus habiles que les autres. Ce sont eux qui constitueront le groupe de nos ancêtres.

Évidemment, ils ressemblent encore beaucoup aux grands chimpanzés, leurs cousins ; mais ce ne sont pourtant pas des singes améliorés. Les premiers hommes ont une grande différence avec les singes : ils sont conscients d'être conscients !

Eh oui, ils pensent, ils réfléchissent et s'interrogent… Voilà pourquoi, depuis des millions d'années, les hommes cherchent à répondre à cette question : d'où venons-nous ?

Il y a trois mille ans, un vieux sage du peuple d'Israël raconte, lui, dans la première page de la Bible, que le monde et les hommes ont été créés par Dieu. En hébreu, Adam signifie « l'Homme ». Bien sûr, ce sage n'a pas du tout l'intention d'écrire un livre scientifique sur les origines de l'humanité, même s'il ne se trompe pas en énonçant, dans l'ordre, l'apparition des espèces. Il veut surtout montrer dans son récit comment les hommes sont liés à Dieu.

« Et Dieu façonna l'homme avec de la poussière prise de la terre et il insuffla dans sa narine un souffle de vie, et l'homme devint un être vivant… »

Les extraterrestres existent-ils ?

« Je marchais au bord d'une route. De petits êtres gris se sont approchés. Ils avaient une énorme tête et beaucoup de doigts. Après, je ne me souviens plus de rien… », raconte une jeune fille au commissaire de police.

Et pourquoi pas des cheveux violets ou des oreilles en forme d'aspirateur ? Ces histoires de martiens ou d'ovnis, il vaut mieux en rire ! Personne n'a jamais pu prouver que d'autres êtres vivent loin de la terre… Même pas les savants qui écoutent l'espace avec leurs radiotélescopes.

Pourtant, l'univers compte des milliards de planètes. Peut-être bien que l'une ou l'autre ressemble à la terre, et alors des êtres vivants pourraient y pousser. Pourraient-ils penser, communiquer avec nous, ou bien seraient-ils des cellules microscopiques ?

En tout cas, ils ne ressembleraient sans doute pas aux extraterrestres de science-fiction ! Si d'autres êtres existent, notre Dieu est aussi leur Dieu, car il est le Dieu de l'immense univers.

Et si nous sommes les seuls vivants, comme une mini-poussière dans le cosmos, Dieu s'intéresse quand même à nous. De toute façon, c'est étonnant !

Chapitre 2

Mystérieuse, la vie !

Pourquoi je vis,
pourquoi je suis moi ?

As-tu déjà vu naître une sculpture ? Un jour, un artiste choisit un bloc de pierre et commence à le tailler avec ses outils pour créer une œuvre. Il faut du temps pour faire une sculpture. C'est une affaire délicate. Un coup par-ci, un coup par-là ; parfois la pierre est trop dure, un outil dérape, des morceaux se brisent et l'artiste est obligé de reprendre.

Puis, peu à peu, grâce aux coups réussis, malgré les ratés, à force de patience et de tâtonnements, une forme toute neuve sort du bloc de pierre.

Ta vie ressemble à une sculpture, mais en beaucoup plus compliqué. Ta naissance a été possible grâce à une quantité incroyable d'événements qui ont permis à un homme et une femme de se rencontrer. Ils sont tombés amoureux. Ils se sont sans doute mariés. Ils ont voulu un enfant. Une graine unique du père et une graine unique de la mère se sont unies et ont donné un bébé unique parmi des millions de bébés possibles : c'était toi.

Et ce n'était pas fini : toi, cet enfant, tu as avalé des centaines de biberons, tu as usé des dizaines de couches-culottes, tu as gazouillé des heures entières pour apprendre à parler, tu as écouté des douzaines d'histoires, tu as développé ta force, ton intelligence, ton caractère, tu as déjà fait mille rencontres, et cela ne fait que commencer… C'est extraordinaire !

Même si ta vie est en partie marquée par les événements qui t'arrivent, tu es libre de décider ce que tu veux devenir. Dieu en secret, comme un artiste, t'aide à façonner ta vie pour que tu deviennes quelqu'un de tout neuf.

Il y a beaucoup de raisons de vivre, mais la première est peut-être simplement de découvrir que sculpter sa vie en vaut la peine, et que le Dieu qui t'a créé t'aime et t'accompagnera toujours dans la création de ta propre vie.

Pourquoi sommes-nous obligés de mourir un jour ?

Mamie est morte ce matin. Oh, je me doutais bien que cela allait arriver, parce qu'elle était très malade. Elle a eu une belle vie, mamie : elle avait un mari qui l'adorait, trois enfants, et puis des petits-enfants dont je fais partie. Surtout, elle était tellement gaie !

Une fois, elle m'a dit qu'elle était de plus en plus impatiente de voir Dieu en vrai. Ce jour-là, j'ai réalisé qu'elle allait mourir un jour ; et puis j'ai oublié.

Et maintenant c'est arrivé. J'ai une peine immense, une peine qui cogne mon cœur à grands coups, une peine qui étrangle ma gorge. Pourquoi est-ce que la mort existe ? Pourquoi tout ce qui est vivant finit par mourir un jour, obligatoirement ?

On peut dire que c'est la loi de la nature, ce roulement sans fin qui nous fait naître, vivre, grandir et mourir un jour.

C'est comme si la vie appelait la mort, comme si ce qui commence conduisait vers ce qui finit.

Mais moi qui crois en Dieu, cela ne me suffit pas. J'ai besoin de savoir pourquoi il permet une chose pareille. Est-ce qu'il n'est pas le maître de la vie ? Est-ce qu'il nous met à l'épreuve ? Je ne sais pas.

Et je pense que, toute ma vie, j'interrogerai Dieu. Mais, en même temps, je crois au message de Jésus, qui dit : oui, la mort existe, non, elle n'aura pas le dernier mot. Certains diront que c'est trop fou. Mais moi, j'y crois.

Pourquoi
je suis né dans cette famille ?

Tu es né dans ta famille parce que tes parents l'ont bien voulu. Un homme et une femme ont le pouvoir de transmettre la vie à un nouvel être humain. Mais ils ne peuvent pas choisir leur bébé, car aucun parent ne contrôle totalement la vie qu'il donne. C'est quelque chose de mystérieux.

Tu es né dans ta famille parce que tu t'es accroché à la vie. Au début, ta vie minuscule était fragile, mais tu as tenu bon ! En acceptant de vivre, tu acceptais sans le savoir de naître de cette mère-là, de ce père-là, dans cette famille-là. Tu es né dans une famille que tu n'as pas choisie. Mais c'est la tienne.

Elle t'a donné ce que tu es, pour le meilleur et pour le pire. Tu as commencé par tout recevoir sans avoir rien à donner.

En grandissant, tu réfléchiras à tout ce que tu as reçu. Tu choisiras ce que tu veux garder et transmettre. Tu changeras ce qui t'a déçu, ce qui t'a fait mal.

Et un jour, à ton tour, tu auras envie de fonder une famille et d'accompagner tes propres enfants dans l'aventure dc la vie.

Est-ce que Dieu existe ?

« J'ai interrogé la terre, les arbres et les roseaux, j'ai interrogé la mer, les lacs et les cours d'eau, j'ai interrogé le ciel, la lune et les étoiles, l'ombre et la lumière, les vents et les déserts, j'ai interrogé les oiseaux et tous les animaux : Qui êtes-vous ? Êtes-vous Dieu ? Ils m'ont crié : Nous ne sommes pas Dieu, c'est lui qui nous a créés. Leur beauté qui me fascinait tant leur servait de réponse.

Puis ils se sont tournés vers moi : Et toi, qui es-tu ? C'est le Dieu que tu cherches qui nous a créés beaux, car il est beau ; bons, car il est bon. Il existe, car nous existons. Dieu, pour toi aussi, est la vie de ta vie. »

C'est ainsi qu'au 5e siècle après Jésus Christ, saint Augustin, un homme qui a longtemps cherché à connaître Dieu, répond à cette question. Pour lui, cela ne fait aucun doute, l'existence même de l'univers et sa beauté sont autant de signes de l'existence de Dieu.

Pourquoi je ne peux pas m'empêcher de me battre avec les autres ?

Il fait nuit. Il est au moins dix heures. Je repense à la journée. Forcément, avec l'œil au beurre noir que j'ai. Je me suis moqué de Théo, il a répondu. Normal.

Je ne peux pas m'empêcher de me battre. Quelquefois, c'est pour défendre quelqu'un ou à cause d'une injustice. Un truc m'énerve, et hop, c'est parti. J'attaque, je cogne, je frappe. Il arrive aussi que je me batte pour rien, pour jouer. Et puis ça dégénère. Je ne sais même pas pourquoi. Ça m'énerve ! Quand je pense qu'il y a des gens qui se battent pour sauver les autres, ou pour que le monde autour d'eux soit meilleur. Je les admire.

Moi, si je me bats tout le temps, c'est parce que j'ai de l'énergie, plein d'énergie. Grâce à elle, je cours, je crie, je fais du vélo. J'en ai parlé avec mon père. Lui aussi, quand il était petit, il était comme moi, hyper bagarreur. Et comme moi, il regrettait, après les bagarres. Il m'a dit que petit à petit, en grandissant, il avait appris à mieux utiliser sa force, son énergie. Il a fait de l'escalade, puis du théâtre, et il est devenu champion d'échecs. Pas mal, pour un bagarreur, non ?

On m'a toujours dit que je lui ressemblais quand il était petit. J'espère que je grandirai vite.

Tiens, demain, je pourrais grimper au mur d'escalade de l'école, avec Théo…

Pourquoi on ne choisit pas
quand on va naître et mourir ?

Aminata a huit ans,
elle est réfugiée, elle vient du Zaïre.

« Avec tous ceux qui fuyaient la guerre, nous marchions depuis des heures pieds nus sur le sable brûlant. Le village avait été détruit. Je ne pensais qu'à une seule chose : pourquoi on ne choisit pas de naître ? Parce que moi, je ne serais pas née, non, pas née du tout… Ou alors ailleurs, loin de la guerre et à une autre époque, celle où on vivait en paix au bord du fleuve…

Grand-père me dit toujours :

– Personne ne décide de sa propre naissance. La vie, c'est Dieu qui la donne, tes parents te la transmettent, et c'est à toi, après, de choisir dans quel sens tu veux aller.

Si je n'ai pas choisi de naître, est-ce que je peux choisir de mourir ? J'en ai parlé à grand-père. Il m'a serrée tout contre lui pour m'expliquer :

– Vivre, ne pas décider de sa mort, c'est faire confiance à Dieu. C'est être capable de croire qu'avec Dieu la vie vaut la peine d'être vécue, malgré la souffrance et le désespoir.

Grand-père sait qu'un jour il mourra. Mais quel jour ? Dieu décidera. Alors il se tient prêt à rencontrer son Seigneur. Ce grand rendez-vous-là, pour lui c'est comme un rendez-vous d'amour avec Dieu ; alors il s'y prépare. Il ne veut surtout pas le rater. Dans les ténèbres de sa vie, comme dans les instants heureux, il marche confiant en Dieu. »

Qu'est-ce que l'âme ?

L'âme ? Voilà un mot-mystère, léger et discret comme l'air. Tu sens que tu as besoin de ce mot-là, même si tu ne sais pas très bien dire ce qu'il désigne.

En fait, ton âme, c'est ce qui fait que tu es vivant, c'est ce qui fait que tu es une personne précieuse et unique au monde. Ton âme, c'est toi-même. Grâce à ton âme tu ris, tu pleures, tu sens, tu communiques, tu aimes, tu pries, tu imagines, tu rêves, tu espères, tu fais des choix, des projets… Sans elle, tu serais un cadavre tout froid, ou un brin d'herbe, ou au mieux un petit chien bien mignon ou féroce, au hasard.

On ne voit pas l'âme, on ne sait pas où elle est, on ne peut pas la peser, ni la décrire, et pourtant elle compte très fort dans la vie. Un peu comme Dieu !

C'est lui qui te l'a donnée quand il a confié à tes parents le soin de te faire naître. Ton âme est le souffle de Dieu dans ton existence. Et, comme Dieu, elle est vivante pour toujours.

Pourquoi les hommes
sont-ils différents des femmes ?

On a interrogé les savants. Enfermés dans leurs laboratoires avec leurs microscopes géants, ils disent que les plantes et les animaux sont mâles ou femelles pour perpétuer leurs espèces. C'est pareil pour les humains : il faut des hommes et des femmes, sinon l'espèce humaine disparaîtra.

On a aussi interrogé les hommes et les femmes. Ils se disputent pour savoir si l'homme est supérieur à la femme ou l'inverse. Et puis on s'est interrogé sur ce que Dieu a voulu faire.

Pourquoi les hommes sont-ils différents des femmes ? Eh bien, à cause d'une très vieille histoire d'amour sans cesse renouvelée.

Dieu aime la vie, depuis les herbes folles et les bestioles jusqu'aux galaxies. Il n'a pas du tout envie qu'hommes et femmes soient identiques, ce serait trop ennuyeux ! Dieu n'est pas un fabricant de robots. Chaque homme, chaque femme est unique au monde. Ce n'est pas un hasard non plus si Dieu, en créant ces deux-là, l'homme et la femme, les a voulus à sa ressemblance, avec l'amour inscrit en plein milieu du cœur.

Le mystérieux fil d'amour qui relie les humains à Dieu les relie aussi entre eux, hommes et femmes. Pour qu'ensemble ils aiment et transmettent à l'enfant la vie, cette vie qui vient de Dieu.

Ainsi commence la grande aventure voulue par Dieu. Avec des hommes différents des femmes, pour qu'ils mettent en commun le meilleur d'eux-mêmes : la force d'aimer.

Pourquoi y a-t-il des enfants handicapés ?

Papa, tu savais que Julie avait un frère handicapé ?

— Oui.

— Je l'ai vu à l'anniversaire de Julie. Son corps est tordu. Il parle mal. On doit le déplacer en fauteuil roulant. Il a quatorze ans…

— Il a une maladie du système nerveux.

— Au début, j'avais peur de lui. Mais Julie lui parle normalement, ça m'a rassurée. À la fin, j'ai même poussé son fauteuil…

— Comment s'appelle-t-il ?

— Guillaume. Mais pourquoi il est né comme ça, pourquoi ? Est-ce que Dieu s'est trompé ? Pourquoi c'est tombé sur lui ?

— Je n'ai pas de réponse, ma chérie, malheureusement…

— C'est trop injuste. Peut-être que Dieu s'en fiche !

— Personne ne peut expliquer un malheur pareil, les chrétiens pas plus que les autres. Mais ils sont sûrs d'une chose : Dieu ne s'en fiche pas.

— Comment ça ?

— Regarde. Sais-tu dans quel livre on parle le plus de boiteux, de sourds, de paralysés, d'aveugles, d'infirmes, de handicapés de tous âges ? Dans l'Évangile ! C'est eux que Jésus rencontre en premier. Il souffre de les voir souffrir. Partout où il passe, il en guérit pour nous montrer que Dieu son Père aime tous les hommes, les moins gâtés d'abord. Après quoi Jésus nous a passé le relais. À nous de respecter et d'aider les personnes handicapées au lieu de les rejeter, d'en avoir honte.

— Ou d'en avoir peur !

— Exactement. Regarde comme les parents de Guillaume s'occupent de leur fils.

— Julie aussi aime son frère.

— Il y a ses médecins, ses éducateurs, tous ceux qui se battent pour la recherche, ou pour ouvrir des instituts spécialisés. Dieu nous a donné de l'énergie et de l'intelligence pour, tous ensemble, soigner et guérir. Nous ne pouvons pas faire plus, mais c'est déjà beaucoup. C'est comme cela que Dieu agit.

Est-ce qu'il y aura toujours des gens qui souffrent ?

Cher Marc,

Comme j'aimerais te répondre : un jour plus personne ne souffrira. Mais c'est impossible ! La douleur de la maladie ou d'un corps qui vieillit, la souffrance des mal-aimés, des exclus, des persécutés, qui peut l'empêcher ?

Il y aura donc toujours des gens qui souffrent sans que l'on puisse jamais rien changer ? Non, la vie serait trop absurde, la souffrance n'est pas une fatalité. Tous les jours et partout dans le monde, des hommes et des femmes, des enfants, essaient de construire une terre plus juste, plus fraternelle, pour que la souffrance recule ou soit soulagée. Et ainsi, ils rendent le monde plus proche de Dieu.

Marc, j'espère que tu choisiras toi aussi d'être de ceux qui bâtissent un monde meilleur ! Ne perds jamais confiance et souviens-toi de cette parole de Jésus : « Venez à moi, vous qui ployez sous le fardeau... »

Ton parrain Étienne

Pourquoi personne
n'est-il pareil ?

Quelquefois j'ai envie qu'on soit tous pareils. On serait tous super-intelligents. On parlerait la même langue. On aurait les mêmes goûts pour manger, s'amuser, choisir ses amis. Alors peut-être on ne se disputerait plus. Mais hum, hum… sûrement on s'ennuierait ! Connaître les autres, cela ne vaudrait même plus la peine. Il n'y aurait plus rien à découvrir… Ce serait épouvantable !

Seigneur, tu nous crées différents. Souvent, nous nous méprisons, nous nous jalousons. Quand nous arrivons à nous entendre, la vie devient tellement intéressante ! Tu veux que nous apprenions à faire la paix.

Toi, tu nous aimes tous, les timides et les fonceurs, les sérieux et les rigolos, les doués en calcul ou les doués pour écouter les autres. Nous sommes tous tes enfants. Et si nous nous y mettons tous ensemble, nous pouvons refléter ton visage, Dieu très grand !

Chapitre 3

La grande alliance

Qui a cru en Dieu le premier ?

C'était en Orient, il y a quatre mille ans, au pays des deux fleuves. Un nomade menait ses troupeaux de campement en campement, avec ses serviteurs… Un jour, il comprit que Dieu l'appelait à quitter son pays pour une terre inconnue. Dieu lui promettait qu'il serait encore plus heureux. L'homme partit. Et quand Dieu lui promit des descendants, à lui qui vieillissait sans enfants, l'homme fit confiance encore une fois. Un fils lui naquit, Isaac, et ses descendants devinrent le peuple choisi par Dieu, le peuple d'Israël.

Cet homme à qui Dieu s'est fait connaître, c'est Abraham. La Bible nous le présente comme le premier homme qui a reconnu le Dieu unique, le premier qui a accueilli son amitié, son alliance. Aujourd'hui, les juifs, les chrétiens et les musulmans regardent Abraham comme leur ancêtre, le premier croyant.

Mais la foi en Dieu n'est pas née d'un coup. Bien avant Abraham, les hommes se doutaient que quelque chose de plus grand qu'eux existait. Ils adoraient toutes sortes de dieux. Après Abraham, Israël a mis du temps à devenir un vrai peuple de croyants. Puis, Jésus le Christ est venu nous révéler le cœur de Dieu.

Pour nous aussi, croire est un long chemin. Cela prend toute la vie. Un peu comme si chacun de nous était le premier à croire en Dieu !

Pourquoi Dieu
a-t-il créé le monde ?

Toi, le Seigneur de la vie,
pourquoi as-tu créé le monde ?

Pourquoi la mer, collée à la terre,
qui remplit jusqu'au bout l'horizon,
et se lève d'un coup pour fouetter le ciel ?
Pourquoi le ciel, qui est bleu pour nos yeux,
comme un léger casque qui entoure la terre
et la protège de l'espace si loin et si grand ?
Pourquoi l'herbe douce à notre pied,
et tendre à la bouche des bêtes ?
Et la terre, qui avale les graines
et fait sortir des bouquets parfumés ?

Toi, le Seigneur de la vie,
tu as créé tout cela.
Est-ce pour me l'offrir,
et pour me rendre heureux ?
Peut-être aussi que tu donnes la vie
gratuitement, sans raison,
parce que c'est beau,
et parce que c'est bon,
comme toi.
Et tout cela, quand je le vois,
me donne envie
de te dire un mot :
merci.

Et pourquoi moi, vivant aujourd'hui,
maillon minuscule de la chaîne sans fin
de tous ceux qui sont venus
et de tous ceux qui viendront ?

49

Pourquoi Dieu
a-t-il choisi le peuple juif ?

C'était un tout petit peuple, une tribu de rien du tout. La plupart étaient bergers. Ils vivaient sous des tentes pour se protéger du soleil et de la poussière. Ils ne possédaient que leurs troupeaux.

Et puis, quelque chose d'unique leur est arrivé. Dieu leur a fait comprendre qu'il était là, près d'eux, et qu'il leur offrait son amour.

Pourquoi Dieu a-t-il choisi ce peuple et pas un autre ? À cette époque, il y en avait de plus puissants et de plus nombreux. Alors ?

Et si Dieu avait choisi ce peuple justement parce qu'il était inconnu et tout petit ?

Appelés au cours de leur histoire les Hébreux, le peuple d'Israël, les juifs, ils ont compris peu à peu que Dieu leur donnait une mission, celle d'aller vers les autres pour proclamer sa Parole.

Plus tard, Jésus, membre de ce peuple, annoncera cette bonne nouvelle : Dieu aime tous les hommes sans distinction de pays, de couleur ou de richesse, car ils sont tous enfants de Dieu.

Qu'est-ce que c'est,
la Bonne Nouvelle ?

Jimmy a posé cette question à son père. Et son père lui a dit :

– Et toi, qu'en penses-tu ?

– Euh…, répond Jimmy, c'est quelque chose qui me fait très plaisir quand je l'apprends. J'ai envie de le dire à tout le monde !

– Quoi par exemple ?

– Un copain qui m'invite, une fête qui se prépare, quelqu'un que j'aime et qui vient me voir, un malade qui va mieux… Il y a plein de bonnes nouvelles !

Oui, mais *la* Bonne Nouvelle ?

– Je ne sais pas… Il faudrait que ce soit une bonne nouvelle plus grande que toutes les autres… Dedans il y aurait toutes les autres en même temps ! Elle ne serait jamais finie. Mais ça ne se peut pas…

– Cette Bonne Nouvelle-là, Jimmy, les chrétiens croient qu'elle existe. Elle a commencé à Jérusalem, le matin où les amis de Jésus ont trouvé son tombeau vide. Lui était vivant, ressuscité. Pourtant, peu de temps avant, il était mort sur la croix. Alors quel événement ! Quelle joie ! Quel espoir !

Les hommes ne sont plus prisonniers de la mort. Ils ressusciteront. Dieu a envoyé Jésus son Fils pour leur ouvrir le passage.

Tu vois, Jimmy, c'est vraiment la plus grande Bonne Nouvelle ! Les chrétiens n'ont plus cessé de l'annoncer dans toutes les langues. Et d'abord ils l'ont écrite en grec. Devine comment se dit *Bonne Nouvelle* en grec ? *Évangile…*

La Bible, le Livre des livres

Le livre deux fois saint

La Bible est le livre le plus connu au monde. Pourquoi ? Elle nous parle de Dieu, le Seul et l'Unique. Elle nous mène de découverte en découverte. Des hommes comme nous l'ont écrite parce qu'ils avaient fait l'expérience de ce Dieu. Et ils se sont laissé guider par lui pour raconter. Ces hommes faisaient partie d'Israël, le peuple juif. La Bible est d'abord le Livre saint des juifs. Les chrétiens l'appellent « l'Ancien Testament », ou « la première Alliance ». Mais ceux-ci ont ajouté une deuxième partie après la venue de Jésus Christ. C'est le Nouveau Testament. Les deux Testaments ensemble forment la Bible des chrétiens, leur Livre saint à eux.

À la vie, à la mort

La Bible est une histoire d'alliance. On y voit les deux alliés : Dieu et nous les hommes. On y voit Dieu qui nous offre son amitié. Et on voit nous, en face, qui sommes plus ou moins fidèles selon les jours…

L'Ancien et le Nouveau

L'Ancien Testament raconte comment Dieu a commencé à intervenir dans l'histoire des hommes pour se lier avec eux. C'est la première Alliance. Le Nouveau Testament raconte comment Jésus a réalisé cette alliance une fois pour toutes. C'est la nouvelle Alliance ! Pour les chrétiens, le Nouveau Testament permet de mieux comprendre l'Ancien.

Un livre ou des livres ?

En fait, la Bible est une collection : 46 livres pour l'Ancien Testament ! Et pour le Nouveau, 27 : les quatre évangiles, les Actes des Apôtres, vingt et une lettres d'apôtres, et le récit d'une vision, l'Apocalypse. Ces livres ont mille façons de parler de Dieu : en récit ou en poème, en prière ou en conte.

La Bible, le Livre des livres

Question de langue

La Bible est écrite surtout en hébreu, et aussi en grec, entre l'an 900 avant Jésus Christ et l'an 100 après Jésus Christ. Mais, avant d'être écrits, beaucoup de ses textes ont été racontés pendant des années. Comme ça, par cœur, de père en fils…

Des clés pour entrer

Retrouver une phrase dans la Bible ? Pas très difficile. Chacune est identifiée par les initiales du livre où elle se trouve, par exemple Mt pour l'évangile de saint Matthieu. Et aussi par deux numéros, celui du chapitre, puis celui de la phrase elle-même, appelée encore verset.

Forts en orthographe

Pendant des siècles, la Bible a été recopiée à la main par des scribes juifs, puis par des moines chrétiens, sur du papyrus et du parchemin. Ils étaient si attentifs qu'ils ont fait très peu d'erreurs. Plus tard, Gutenberg a inventé le premier livre imprimé, c'était une Bible !

Un livre-nourriture

Grâce à l'Esprit Saint, la Bible nous fait entendre la Parole de Dieu pour nous, maintenant. Sa lecture nourrit les chrétiens rassemblés, par exemple à la messe. Et la manière dont les autres ont lu la Bible nous enrichit ! Nous pouvons aussi la lire et la relire tout seuls, la savourer.

Records

20 millions de bibles sont vendues chaque année dans le monde entier ! La Bible entière a été traduite en 337 langues, et les évangiles dans plus de 2 000 langues !

Pourquoi Dieu ne nous appelle-t-il plus directement, comme dans la Bible?

Driiing! Le téléphone sonne. «Allo, mon poussin? C'est maman. Tout va bien? Bon, demande à ton père de faire chauffer de l'eau pour les pâtes. J'arrive dans dix minutes. Bisous.»

Des coups de fil comme celui-là, tu en reçois tout le temps. C'est clair, c'est net, tu sais tout de suite qui parle et ce qu'on veut te dire. Beaucoup de gens se disent que ce serait bien pratique si Dieu nous appelait aussi. Mais Dieu ne parle pas directement… et pourtant, il nous appelle!

La Bible raconte l'histoire de Samuel: un jeune garçon qui, selon la coutume de l'époque, aide le prêtre Éli à servir Dieu. Samuel et Éli habitent tous les deux dans le sanctuaire de Dieu. Une nuit, Samuel a l'impression qu'on l'appelle: «Samuel, Samuel!» Le garçon pense que c'est Éli, mais ce n'est pas lui. Samuel se recouche et entend le même appel à nouveau. Alors, il va à nouveau trouver Éli, mais une fois encore, ce n'est pas lui qui a appelé. Samuel se rendort, mais l'appel continue. Éli finit par comprendre: c'est Dieu qui appelle Samuel.

Heureusement qu'Éli est là! Samuel n'aurait sans doute pas compris tout seul ce qu'il ressent. Alors, Éli explique à Samuel comment se tenir prêt à écouter Dieu.

Dieu peut nous appeler nous aussi de beaucoup de manières: à travers l'histoire de Jésus racontée dans les évangiles, à travers une conversation, à travers ce qui nous vient à l'esprit lorsque nous prions, à travers un sentiment de révolte contre une injustice, à travers une grande joie… Il nous faut l'aide des autres pour comprendre ce que Dieu nous dit, car l'appel de Dieu est souvent très discret, caché. Et c'est tant mieux. Il nous laisse libres d'écouter et de comprendre si nous le voulons.

Pourquoi Dieu ne parle-t-il pas à tout le monde ?

Prophètes, saints ou témoins de la foi, tous nous racontent leurs rencontres privilégiées de Dieu avec quelques-uns. Ils ont été choisis parmi des milliers pour vivre une expérience extraordinaire : Dieu s'adresse à eux et leur parle ; mais eux aussi parlent à Dieu et lui répondent. Ainsi, Dieu dit à Jérémie, prophète vers 628 avant Jésus Christ : « Avant de te former au ventre de ta mère, je t'ai consacré, comme prophète des nations je t'ai établi. »

Comme Jérémie a peur de s'engager dans une telle mission, il répond à Dieu :

« Vois, je ne saurais pas porter ta parole, je ne suis qu'un enfant. »

Comment ne pas être jaloux de ce face-à-face avec Dieu, nous qui trouvons parfois que Dieu se cache ! Mais Dieu a sa façon à lui d'être présent et de nous parler à travers ceux que nous rencontrons, à travers leurs peurs ou leurs douleurs, à travers leur tendresse et leurs joies… Nous avons besoin des autres pour comprendre comment Dieu nous fait signe maintenant, là, aujourd'hui. Ils sont le visage de Dieu.

Dieu nous
aide-t-il vraiment ?

Dieu, quelquefois j'aimerais,
aux moments durs, aux jours de peine,
que tu me changes la vie
d'un seul coup, par magie.
Mais tu es patient, discret,
tu fais du bien en secret.
Tu nous donnes ton Esprit.

Il est léger comme un souffle,
mais il est ta force.
Il nous aide à tenir bon,
à notre façon,
si nous le voulons.
Par lui, tu es avec nous,
tu prends soin de nous,
toi, notre Dieu !

Quand tous les hommes seront morts, qu'adviendra-t-il de l'univers?

À la fin de tout,
tout au bout du bout,
quand il n'y aura plus d'hommes
pour vivre sur la terre et explorer l'univers,
que va-t-il se passer?

Quand le soleil deviendra un géant rouge,
une boule de feu qui brûlera tout autour,
dans des milliards d'années,
qu'est-ce qu'il y aura, après?

Est-ce que les étoiles vont s'éteindre
comme on éteint les lumières
d'une maison vide?

Est-ce que les planètes vont exploser
comme un feu d'artifice dans la nuit?
À la fin de tout, tout au bout du bout,
que va-t-il se passer?
Peut-être un peu de tout cela,
nous disent les savants.

C'est plutôt effrayant
d'imaginer la fin du monde.
Quel vertige
de penser que tout finira !
Mais nous, chrétiens, nous affirmons :
Dieu veille sur nous. Dieu nous promet une vie
infinie et renouvelée.

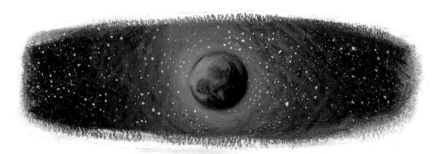

Pourquoi Marie a-t-elle été choisie pour être la mère du Messie ?

Depuis longtemps déjà, Marie connaissait bien les paroles des prophètes. Elle aimait tout particulièrement le cri de joie du prophète Isaïe annonçant, des siècles à l'avance, la naissance d'un envoyé de Dieu, le *Messie*, sauveur de son peuple. « Voici que la jeune femme attend un enfant ! » Et, comme beaucoup de jeunes filles juives, Marie se demandait sûrement dans sa prière : « Serait-ce moi, Seigneur, cette maman que tu as choisie ? »

Le jour où Marie comprend que Dieu lui fait signe, son cœur est tout rempli d'un immense merci.

Elle est toute bouleversée d'entendre que cette promesse du vieux prophète, c'est pour elle, et c'est pour maintenant.

Elle prie ainsi :

« Tu es grand, Seigneur !
Moi, je suis toute petite…
Et c'est sûrement pour cela
que tu m'as choisie.
Ils vont tous dire,
pendant des siècles,
que j'ai eu de la chance.
Moi, je n'ai rien fait
pour mériter cela.
Seulement aimer ta Parole,
et te dire oui. »

Alors, nous aussi, dans notre prière, nous pouvons partager la joie de Marie et lui dire :
« Réjouis-toi, Marie,
comblée de grâce !
Le Seigneur est avec toi,
puisque Jésus est dans tes bras ! »

59

Pourquoi avons-nous le premier péché à la naissance?

Il t'est sûrement arrivé de te dire : «C'était plus fort que moi, je n'ai pas pu m'en empêcher.» Ce geste méchant t'a échappé, ou cette parole qui fait mal. Parfois, c'est comme si nous étions coupés en deux : nous voulons et nous ne voulons pas. Cela vient aussi de plus loin que nous. Comme si le péché était contagieux.

Quand un enfant naît aujourd'hui, il arrive dans un monde déjà marqué par une longue aventure : l'histoire de l'amour de Dieu pour les hommes, mais aussi tous les refus d'aimer.

Comme un nouveau qui arriverait dans une classe où règne la violence. Cette violence est un peu la faute de tout le monde. Et lui risque petit à petit d'y participer. Il aura du mal à s'y opposer tout seul.

On appelle «péché originel» cette situation dans laquelle s'est enfermée l'humanité : chaque génération est à la fois victime et en partie responsable de cette longue histoire de refus de Dieu.

La Bible nous fait comprendre que ce péché contagieux remonte à l'origine de l'humanité. Adam et Ève, l'homme et la femme, refusent de reconnaître que leur vie est un cadeau de Dieu. Ils se prennent pour des dieux. En faisant cela, ils brisent leur alliance avec Dieu.

Nous aussi, à chaque instant, nous devons choisir d'être ou non en alliance avec Dieu. Et nous sommes liés à Adam et à Ève, comme à tous ceux qui avant nous ont été empêtrés dans le péché.

Mais nous sommes encore plus liés à Jésus. C'est à lui qu'il nous faut nous accrocher. En nous plongeant dans l'amour de Dieu, en nous greffant sur Jésus, sur sa vie, le baptême est bien la victoire de Dieu sur ce péché qui empoisonne le monde.

Ceux qui ne croient pas en Dieu, est-ce que Dieu les aime autant ?

Lorsque Jésus se promène dans les collines de Galilée, il rencontre toutes sortes d'hommes et de femmes très différents les uns des autres.

Certains sont pauvres, d'autres ont été touchés par le malheur, d'autres encore ont l'air de bien réussir leur vie.

Jésus trouve toujours une parole, un geste pour montrer à tous et leur faire comprendre que Dieu les aime. Jésus ne se promène pas avec un questionnaire tout fait pour séparer ceux qui croient de ceux qui ne croient pas.

Jésus a dit : l'amour de Dieu se porte sur chacun, croyant ou non. Dieu respecte trop la liberté de l'homme pour chercher à être aimé de force. À ceux qui croient en lui il n'offre aucun privilège, surtout pas celui de se sentir supérieurs aux autres. Au contraire, à tous ceux qui vivent l'aventure de répondre à son amour, il demande de témoigner que cet amour s'adresse à tous.

Chapitre 4

Jésus de Nazareth

Comment connaît-on la vie de Jésus ?

Pour savoir comment vivait ton arrière-grand-père, tu peux demander à tous ceux qui l'ont connu de te parler de lui. Tu peux aussi chercher des photos ou des objets qui lui appartenaient. S'il a été très célèbre à son époque, les journaux ont peut-être écrit des articles ou des reportages sur sa vie ; et tout cela va t'aider.

Pour Jésus, c'est beaucoup plus compliqué. On sait qu'il a vraiment existé il y a environ deux mille ans. Un livre d'histoire écrit peu après sa mort, *La guerre des Juifs*, de Flavius Josèphe, parle effectivement de lui. Mais il ne nous renseigne pas vraiment. Il note seulement que Jésus a bien existé, qu'il enseignait, avait des disciples et fut exécuté. Jésus n'a pas écrit ses mémoires.

Si l'on veut connaître sa vie, il faut lire les quatre évangiles rédigés par Matthieu, Marc, Luc et Jean. Le mot *évangile* veut dire *bonne nouvelle*. La bonne nouvelle, c'est que Jésus est bien le Fils de Dieu. Voilà ce dont tous les quatre témoignent en parlant de Jésus.

Les évangiles ne racontent pas tous les détails de la vie de Jésus. S'il était grand ou petit, ce qu'il mangeait, où il habitait, comment il s'habillait. Mais ils rapportent ce que Jésus a fait et dit aux malades, aux pauvres, aux aveugles, à tous ceux qu'il a rencontrés et à ceux qui l'ont suivi, jusqu'à sa mort et sa résurrection.

Ainsi, tous les hommes, hier comme aujourd'hui et demain, pourront savoir qui est Jésus.

À quelle date Jésus est-il né ?
À quelle date est-il mort ?

Au 6e siècle, Denis le Petit, un moine historien, cherche à savoir quand exactement le temps des chrétiens a commencé. Pour lui, le début de l'ère chrétienne, c'est l'année où Jésus est né. Denis le Petit fait ses calculs et fixe ainsi l'an 1. Un nouveau calendrier est adopté. Désormais, il y a les siècles avant Jésus Christ, et les siècles après.

Aujourd'hui on pense que le moine a fait une erreur, et que Jésus a dû naître 6 ou 7 ans avant ce fameux an 1 ! Mais cela ne change rien pour la foi des chrétiens.

Quant au 25 décembre, ce n'est sûrement pas le jour exact où Jésus est né.

Cette date a été choisie par des chrétiens du 4e siècle. Depuis longtemps, le 25 décembre était une grande fête païenne en l'honneur du soleil, à cause des jours qui commencent à rallonger à ce moment de l'année. Les chrétiens ont décidé de fêter la naissance de Jésus ce jour-là pour montrer que c'est lui la vraie lumière.

D'après l'évangile, Jésus est mort un vendredi au moment des fêtes de la pâque juive. Selon leurs calculs, la plupart des historiens ont conclu que cela a dû arriver le vendredi 7 avril de l'an 30. Jésus avait alors environ 36 ans.

Pourquoi la Vierge Marie est vierge ?
Elle a eu un bébé, donc un mari ?

Oui, Marie a eu un bébé, c'était Jésus. Et elle a eu un mari, c'était Joseph. L'Évangile nous dit des choses pas banales sur eux.

Il nous dit que Joseph a été chargé d'adopter ce bébé qui ne venait pas de lui, et de faire une place pour lui dans sa famille et son peuple. Il nous dit que Marie a porté l'enfant dans son corps sans avoir vécu avec Joseph, ni avec un autre homme. Elle était vierge. Cet enfant-là est un cadeau de Dieu, d'une tout autre façon que les autres enfants. Il vient de Dieu.

Un ange l'avait annoncé à Marie : « L'Esprit Saint viendra sur toi. Aussi, l'enfant sera saint et sera appelé Fils de Dieu. » Quelle nouvelle étourdissante, vraiment incroyable ! Marie n'en revenait pas. Voilà pourquoi l'ange avait ajouté : « Rien n'est impossible à Dieu. » Mais Dieu ne voulait pas que cette naissance se produise contre la volonté de Marie. Il a attendu qu'elle dise oui. Elle l'a dit, elle a vite reconnu que c'était le souhait de son Dieu. Elle lui a fait confiance de tout son cœur, malgré tout.

Et tout s'est passé pour elle comme l'ange l'avait dit.

Les chrétiens suivent la foi de Marie : ils disent que cet homme, Jésus, est le Fils de Dieu. Et depuis deux mille ans ils n'oublient pas de remercier Marie d'avoir permis la venue de Jésus sur la terre !

Est-ce vrai qu'une étoile a guidé les mages jusqu'à Jésus ?

L'évangile selon saint Matthieu nous parle des mages, des étrangers qui vivaient très loin du pays de Jésus. Ils étaient des savants qui observaient le ciel et les étoiles. Ils ont vu apparaître une étoile nouvelle.

À cette époque, on croyait que c'était un signe du ciel pour dire que quelqu'un de très important venait de naître. Matthieu

raconte que les mages sont partis de chez eux ; ils ont suivi l'étoile et elle les a guidés jusqu'à Jésus.

Aujourd'hui, cette étoile mystérieuse nous fait encore rêver. Les enfants la plantent au sommet du sapin de Noël. Les astrophysiciens étudient pour savoir si cette étoile, peut-être une planète ou une comète, a réellement existé.

Pour les chrétiens, le plus important est de comprendre le message de l'Évangile. Les récits de Matthieu sur l'enfance de Jésus ne sont pas un reportage, minute par minute, de ce qui s'est passé. Ils cherchent à nous apprendre quelque chose sur Jésus. En parlant des mages étrangers, Matthieu a voulu dire que le message de Jésus est destiné au monde entier, sans exception.

L'étoile aussi nous fait penser que chacun a besoin d'une lumière pour se guider. Cette lumière qui éclaire le cœur des chrétiens, c'est Jésus le Christ.

Jésus avait-il
des frères et sœurs ?

Les chrétiens honorent Marie et Joseph, les parents de Jésus, et aussi ses compagnons les apôtres, comme des saints. Mais ils n'ont jamais parlé de saints qui seraient ses frères ou sœurs. C'est un indice : depuis toujours, ils pensent que Jésus était fils unique.

Pourtant les évangiles nous parlent de « frères » et de « sœurs » de Jésus. Ils donnent même des noms : Marc et Matthieu nous disent que ses frères s'appelaient Jacques, José, Jude et Simon. Alors ?

On sait que dans la langue du pays de Jésus, il n'existait pas de mot pour dire « cousin » ou « cousine ». On n'avait que les mots « frère » ou « sœur » ! Quand les évangiles disent « les frères et les sœurs de Jésus », cela peut signifier aussi ses cousins et ses cousines.

Les évangiles appellent « fils de Marie » Jésus seul, mais pas Jacques, José ou les autres. Et quand Jésus est mort sur la croix, il a confié Marie sa mère à l'apôtre Jean qui l'a prise chez lui. Cela n'aurait sans doute pas été nécessaire si elle avait eu d'autres enfants.

Jésus avait-il
des cheveux longs et une barbe ?

Tu aimerais bien savoir à quoi ressemblait Jésus ? Tu n'es pas le seul. Il y a même des gens qui ont rêvé d'inventer une machine à remonter le temps pour le prendre en photo ! Mais nous ne savons rien sur l'aspect de Jésus.

La religion juive interdisait en effet de représenter par la peinture ou la sculpture le corps humain. Jésus devait ressembler à un juif galiléen de son époque.

Quelques siècles après sa mort, les artistes l'ont peint comme un beau jeune homme sans barbe, aux cheveux courts et bouclés.

Après, on l'a représenté comme un maître respectable avec une barbe et des cheveux longs. Dans certains pays, on l'a imaginé comme un prince blond. Des esclaves d'Amérique l'ont peint pauvre, nu, la peau noire et les cheveux crépus...

Chacun imagine Jésus avec les yeux du cœur, chacun veut le sentir proche comme un frère et chacun le voit selon sa manière : blond ou brun, habillé comme un roi ou comme un mendiant, fragile ou costaud. Mais l'essentiel est invisible pour les yeux.

Jésus allait-il au catéchisme quand il était petit ?

Jésus n'allait pas au catéchisme puisque le catéchisme chrétien n'existait pas encore à son époque ! Mais il allait probablement à la synagogue les matins de sabbat, le jour consacré à Dieu, comme tous les enfants de son village, Nazareth. Il s'asseyait peut-être par terre, tourné en direction de Jérusalem, juste devant le grand chandelier à sept branches éclairant faiblement celui qui devait lire les prières.

Jésus récitait sûrement avec tous les participants : « Écoute, Israël ! Le Seigneur, notre Dieu, est le seul Seigneur. » Alors, celui qui appelait aussi à la prière du sabbat dès la première étoile parue dans le ciel allait chercher un rouleau de la Torah, les premiers livres de la Bible, rangé dans un coffret de bois. Et il le montrait bien haut à toute l'assistance. Le texte choisi dans la Torah était lu à haute voix. Comme elle est écrite en hébreu, quelqu'un traduisait en araméen, la langue que parlait Jésus. Puis le texte était expliqué, interprété et discuté par celui qui le désirait ou par un notable. Après une dernière lecture tirée des livres des prophètes, la matinée à la synagogue se terminait par des souhaits de bon sabbat à tous.

Jésus apprendra dès l'âge de cinq ans, comme les autres enfants de son âge, à lire la Bible en hébreu à la « Maison du Livre ». À dix ans, il pourra aller à la « Maison du Savoir » et étudier les lois religieuses du peuple juif. Il devra répondre aux questions du maître. Par exemple : quels sont nos devoirs envers Dieu, et envers nos parents ? Que désire Dieu pour nous ?

Jésus étonnera par ses réponses, et lorsque bien plus tard, dans la synagogue de Nazareth, il lira ce passage : « L'Esprit de Dieu est sur moi », certains comprendront alors que ces paroles du prophète Isaïe avaient été écrites pour lui, Jésus.

70

Qui est le père de Jésus, Dieu ou Joseph ?

Notre père à nous, c'est un homme qui en aimant notre mère nous a donné la vie. Ni Dieu ni Joseph ne sont le père de Jésus en ce sens-là.

En parlant de Dieu, Jésus dit : « Mon Père ». Et même, dans sa prière, il lui dit : « Abba ». C'est presque aussi familier que notre « Papa ».

En l'entendant parler ainsi, les disciples de Jésus ont compris qu'il venait de Dieu, et même qu'il était avec Dieu depuis toujours.

En Jésus Dieu a mis tout son amour, comme un père met son amour dans son enfant.

Joseph, lui, a pris soin de Jésus, dès sa naissance, comme un père de famille. Pourtant, nous dit l'Évangile, ce n'est pas lui qui a donné la vie à Jésus : en Marie, Jésus fut un don de Dieu.

Le rôle de Joseph fut pourtant très important. En acceptant de reconnaître Jésus comme son fils, il le faisait entrer dans la famille du roi David, dont il était, lui, Joseph, le descendant.

C'est ainsi que Jésus a pu être proclamé à la fois fils de David et Fils de Dieu.

Est-ce que Jésus aurait pu être une fille?

Dans la crèche, Joseph et Marie auraient bercé une petite fille. Plus tard, elle serait devenue cheftaine des apôtres, on l'aurait appelée Fille de Dieu… Possible ou non? Jésus aurait-il pu être une fille?

Rien n'est impossible à Dieu. Lui qui a envoyé son propre enfant naître et grandir parmi nous, il aurait pu décider que ce soit une fille au lieu d'être l'homme Jésus. Ou un Chinois, ou un habitant du 32e siècle, ou une jeune handicapée.

Mais voilà, Dieu a fait un choix. C'est sa liberté à lui! En envoyant Jésus parmi nous, il a choisi une époque et un peuple, le peuple juif. Et là, pour être reconnu comme l'envoyé de Dieu, Jésus ne pouvait pas être une femme. Car le peuple juif attendait bien un envoyé de Dieu, un « Messie ». Les prophètes avaient annoncé que ce serait un descendant du roi David, pas une descendante!

Jésus est né garçon. Cela ne veut pas dire que les filles comptent moins! Jésus est venu sur terre pour tout le monde, pour les femmes comme pour les hommes, de tous les temps et de tous les continents.

Pourquoi Jésus se fait-il baptiser par Jean Baptiste ?

C'est la bousculade sur les bords du Jourdain. L'air est frais ici, comparé à la chaleur étouffante du désert. Les gens sont venus de loin, mais pas pour une simple baignade. Ils sont venus pour Jean le Baptiste.

Le voilà, avec sa drôle de peau de chameau. Sa voix est forte, impressionnante. Jean parle du baptême qui lave les péchés. Un par un, il plonge dans l'eau ceux qui veulent demander pardon à Dieu. Pour eux, c'est comme un nouveau départ, ce bain qui rafraîchit le cœur !

Certains s'interrogent : et si c'était lui, le Sauveur attendu, le Messie de Dieu ? Mais Jean répond : « Non, ce n'est pas moi. Mais il va venir, juste après moi. »

Et puis, un jour, se présente devant lui, pour être baptisé lui aussi, un homme d'environ trente ans. C'est Jésus. Jean comprend que le moment est arrivé. Il dit à Jésus : « C'est moi, au contraire, qui aurais besoin d'être baptisé par toi ! » Mais Jésus insiste. En se mêlant à cette foule, il veut montrer qu'il est avec tous ces gens qui sentent le besoin de se tourner vers Dieu. Alors, Jean le baptise comme les autres.

Les quatre évangiles nous l'ont raconté : ce jour-là, c'est comme si le ciel s'ouvrait pour les hommes. Dieu le Père nous donnait Jésus, son enfant : « Celui-ci est mon Fils bien-aimé. » Et Jésus était tout rempli de la force du Saint-Esprit pour commencer vraiment son travail, sa mission.

Le baptême dans le Jourdain, c'est donc, pour Jésus, comme un point de départ , une sorte d'*inauguration*.

Pourquoi
Jésus nous a-t-il aimés ?

Jésus n'hésitait pas à s'asseoir à côté des gens peu fréquentables, ceux que tout le monde regardait de travers. Il n'avait ni honte ni peur, pourquoi ?

Un jour, dans une ville appelée Jéricho, il s'est tourné vers un homme qui cherchait absolument à le voir passer. L'homme était trop petit et avait dû grimper sur un arbre. Ce Zachée était sans doute un peu voleur. Jésus l'a regardé, s'est invité chez lui, et cela a changé la vie de cet homme. Pourquoi ?

Un autre jour, peu avant de mourir, Jésus a lavé les pieds de ses disciples comme s'il était leur serviteur. Pourquoi ? Oui, pourquoi a-t-il aimé tous ces gens que l'on voit dans l'Évangile, et bien d'autres ? Pourquoi a-t-il fait attention à ceux qui comptent le moins ? Il n'avait rien à y gagner, plutôt tout à perdre. La preuve ? On l'a fait mourir…

Mais Dieu l'a ressuscité. Il est vivant et il continue d'aimer chacun d'entre nous. Pourquoi ? Nous n'y sommes pour rien !

Eh bien, voilà. Jésus, et Dieu son Père, et l'Esprit d'amour qui les unit, s'aiment. Ils s'aiment à un tel degré que leur amour rayonne sur toutes les créatures, comme une excellente contagion ! Dieu ne sait pas faire autre chose qu'aimer. Les lâchetés ou les haines des hommes ne découragent pas son amour. Au contraire, Dieu réagit en nous donnant son Fils Jésus comme frère. Maintenant nous sommes de la famille de Dieu ; nous partageons son secret, le secret pour être heureux : aimer même ceux qui ne peuvent rien donner en échange ; et même ceux qui ne nous aiment pas. Aimer comme cela, gratuitement. Jusqu'à en mourir s'il le faut.

Jésus nous l'a dit. Mais ce n'étaient pas des histoires. Il l'a fait aussi. Jusqu'au bout !

Pourquoi Jésus
n'a pas eu d'apôtres filles ?

Tu te rappelles peut-être cette femme de pêcheur qui discutait de ses deux fils avec Jésus. Ou Marie-Madeleine, la première personne qui le découvrit ressuscité. Et la belle-mère de Pierre… Et bien d'autres, et Marie.

Toutes ces femmes écoutaient Jésus, certaines faisaient partie du petit groupe qui l'accompagnait. Comme les disciples.

Pourtant, un jour, Jésus a choisi douze apôtres pour les envoyer annoncer sa Bonne Nouvelle à travers le monde. Il n'y avait aucune femme parmi eux ! C'est que les apôtres devaient voyager loin, risquer le naufrage ou la prison, diriger les groupes des premiers chrétiens dans beaucoup de pays… Et au temps de Jésus, les femmes n'avaient pas l'habitude de mener cette vie-là. Elles jouaient un grand rôle à la maison, mais pas en public.

L'aide des femmes a quand même été précieuse pour les apôtres. Et aujourd'hui le monde a changé, les femmes font souvent les mêmes choses que les hommes. Que tu sois une fille ou un garçon, c'est sûr : Jésus compte sur toi !

Pourquoi Jésus a-t-il guéri des aveugles, des boiteux ?

À l'époque de Jésus, il y a des gens qui soignent les malades et les infirmes, avec des remèdes, de l'huile, du vin, des plantes, ou encore de façon magique. Jésus, lui, n'est ni médecin, comme le sera saint Luc, ni magicien.

Et pourtant, autour de lui, il y a toujours une foule d'aveugles, de sourds, de boiteux, accourus dès qu'ils apprennent qu'il est là. Même des lépreux, exclus par tous, viennent le trouver. Sûrement aussi des gens qui sont malades dans leur cœur, dans leur âme.

En les accueillant, Jésus veut montrer que Dieu se préoccupe d'abord des plus malheureux. C'est bien ce qu'avaient annoncé les prophètes. Et en en guérissant quelques-uns, simplement par la force de sa parole, Jésus veut nous dire que la maladie, le mal, la mort ne gagneront pas toujours.

Un jour viendra où ce qui s'est passé dans la résurrection de Jésus, l'amour de Dieu plus fort que la mort et le mal, sera vrai pour tous les hommes. Les guérisons que fait Jésus sont comme le signe à l'avance de ce jour de la victoire de Dieu et de la vie qu'il donne.

Comment Jésus a-t-il su qu'il était le Fils de Dieu ?

Ni Jésus ni ceux qui ont écrit sa vie n'ont répondu à cette question : elle ressemble un peu à celle d'un journaliste trop curieux qui voudrait tout savoir de la vie d'une vedette.

Mais tout, dans les évangiles, nous laisse deviner le secret de Jésus : il a toujours su qu'il était le Fils de Dieu.

Quand Jésus a douze ans, ce qu'il sait de Dieu et de l'Écriture étonne les juifs très religieux, même au Temple de Jérusalem. Et la première parole que nous ayons de lui dit déjà que Dieu, qu'il appelle son Père, remplit toute sa vie : « Ne faut-il pas que je sois chez mon Père ? »

Les événements de sa vie, les gens qu'il rencontre, ce qu'il entend tous les samedis à la synagogue, ce qu'il lit dans la Bible, l'aident sûrement à mieux comprendre et à dire plus clairement ce qu'il sait depuis toujours : Dieu est si proche de lui qu'il ne fait qu'un avec lui et qu'il peut en toute confiance parler en son nom.

Quand Jésus se fait baptiser par Jean Baptiste dans le Jourdain, il entend la voix de Dieu : « Celui-ci est mon Fils bien-aimé, en qui je me plais. » Pour Jésus, ce n'est pas une nouveauté, une découverte. Mais c'est le début de sa mission : annoncer à tous que, eux aussi, ils sont aimés de Dieu.

La Transfiguration, moi, je ne sais pas ce que c'est !

C'est évidemment un mot compliqué ! La Transfiguration est un moment unique de la vie de Jésus. Trois apôtres en sont les témoins.

Jésus emmène Pierre, Jacques et Jean prier sur une montagne. C'est un de ces moments précieux où ils sont entre eux, loin de la foule, comme en famille. Subitement, les apôtres voient le visage de Jésus se transformer, être noyé de lumière. Ses vêtements sont d'un blanc éblouissant.

Et ils entendent une voix qui dit : « Celui-ci est mon Fils, celui que j'ai choisi. » Puis tout redevient comme avant. Les apôtres sont bouleversés par ce qu'ils ont vu. Cette fois, c'est plus clair que jamais, Jésus est proche de Dieu comme aucun homme ne l'a été.

Et pourtant, une cruelle nouvelle les attend : Jésus leur confie presque aussitôt qu'il va mourir, qu'on va le tuer à cause de tout ce qu'il fait. Les apôtres ne comprennent plus. Pourquoi le Fils de Dieu devrait-il mourir ?

Plus tard, les apôtres se souviendront de ce moment et comprendront soudain ce qu'il voulait dire. La Transfiguration annonçait la résurrection de Jésus. C'était comme un signal qui disait : même si vous voyez Jésus mourir, n'oubliez pas que vous l'avez vu transfiguré. C'est cela qui compte : sa victoire finale sur la mort.

Les grands moments de la vie de Jésus Christ

Vers l'an 30, un homme, Jésus, entre à Jérusalem. Il est acclamé par une foule en délire, comme un roi. Pourtant, quelques jours plus tard, il sera condamné à mort par cette même foule. Qui est donc cet homme ?

Un homme parmi les hommes

Il naît très discrètement dans une étable. Marie, une jeune fille de Nazareth, l'a porté pendant neuf mois. Elle a accepté d'être la mère du Fils de Dieu. Jésus grandit. Il est bien l'enfant des hommes.

Une rencontre au bord du fleuve

Jésus a environ trente ans. Un jour, il vient écouter le prophète Jean le Baptiste. Au bord du fleuve Jourdain, Jean baptise les gens. Personne encore ne connaît Jésus. Il s'approche de Jean et demande à être lui aussi baptisé. À ce moment-là, la voix de Dieu résonne : « Celui-ci est mon Fils bien-aimé. »

En route !

Jésus appelle douze hommes : André, Simon et les autres laissent tout pour le suivre. Avec eux, il part sur les routes. Il parle aux gens et les écoute. Il rencontre les gens de son pays, mais aussi les malades, les voleurs, les étrangers. Et il accomplit des miracles !

Heureux

Quand Jésus parle aux gens, ils sont intrigués. Il faut dire que ce qu'il raconte n'est pas toujours facile à entendre. Mais il donne à tous la clé du bonheur : aimer. Il promet, à tous, même aux malheureux, le bonheur de Dieu.

Les grands moments de la vie de Jésus Christ

Les ennemis

On commence à entendre beaucoup parler de Jésus. Un peu trop, au goût de certains. Les dirigeants romains ne veulent pas qu'il entraîne les gens à se révolter, et les responsables religieux juifs s'indignent : « De quel droit parle-t-il ainsi de Dieu ? »
Jésus est accueilli comme un roi à Jérusalem. C'en est trop : ses ennemis décident de le tuer.

Le dernier repas

Juste avant la fête de la Pâque, Jésus partage le pain avec ses apôtres en disant : « Ceci est mon corps donné pour vous. Faites cela en mémoire de moi. » Il partage le vin en disant : « Ceci est mon sang versé pour vous. » Par ces paroles, Jésus annonce à ses apôtres sa mort prochaine.

Sur une croix

Le lendemain, l'un des Douze, Judas, trahit Jésus. Jésus est arrêté, jugé par les Romains. Il meurt, cloué sur une croix.

Il est vivant !

Le troisième jour après sa mort, des femmes vont se recueillir sur son tombeau. Mais il est vide ! Un envoyé de Dieu leur annonce l'éblouissante nouvelle : Dieu a relevé Jésus de la mort. Jésus est vivant pour toujours ! Jésus apparaît ensuite plusieurs fois vivant à ses apôtres. Il promet à ses amis de rester proche d'eux, d'une façon mystérieuse. Il leur envoie son Esprit et retourne auprès de Dieu. Il entre dans la vie éternelle de son Père.

Comment Jésus peut-il être Dieu et en plus le prier ?

Pour nous les chrétiens, Jésus est Dieu. Alors pourquoi on l'a souvent vu en train de prier Dieu ? Quelle idée de se prier soi-même ! Ou alors, s'il prie de la même façon que nous, il est comme nous, et il n'est pas Dieu…

En réalité, Jésus ne prie pas comme nous. Sa prière est unique au monde. Il ne se prie pas non plus lui-même, car il s'adresse à Dieu son Père.

Oui, quand Jésus prie, il appelle Dieu « mon Père », « Toi qui m'as envoyé ». Il lui parle comme à quelqu'un qu'il connaît vraiment très bien et qu'il aime énormément. Jamais on n'a parlé à Dieu de façon aussi proche. Beaucoup de gens sont même scandalisés !

Pour Jésus, Dieu est une personne, et c'est son Père. Mais en même temps, ce Père et lui sont si unis qu'ils ne font qu'un. Ils vivent du même souffle qu'on appelle l'Esprit Saint. Voilà pourquoi nous les chrétiens, nous affirmons : Jésus est Dieu. Voilà pourquoi Jésus dit : « Celui qui m'a vu a vu le Père. »

Nous n'imaginons pas un amour pareil. Nous, nous avons plutôt du mal à partager ! Nous ne pouvons pas comprendre comment le Père de l'univers, son Fils Jésus et leur Esprit sont totalement unis. C'est un peu comme une famille où on s'entend vraiment très bien. Pourtant, la famille la plus unie de la terre donne seulement une minuscule idée de cette famille-là !

Pourquoi les évangiles sont-ils différents quand ils parlent de la même chose ?

En ouvrant la Bible, tu trouveras entre autres quatre petits livres : les évangiles de Matthieu, Marc, Luc et Jean. Ils ont été écrits après la mort et la résurrection de Jésus. Tu as peut-être été surpris, en les lisant, de voir que les événements ne sont pas toujours racontés de la même manière. Par exemple, dans les passages racontant l'arrestation de Jésus, les paroles que Jésus prononce sont différentes d'un évangile à l'autre.

Cela ne veut pas dire pour autant que les évangiles ont déformé la vérité.

Imagine que tu racontes ta journée d'école, et que ton voisin de classe la raconte de son côté. Crois-tu que vous allez dire exactement les mêmes choses ? Non, car tu as remarqué ceci et lui cela. Une certaine parole de la maîtresse t'a impressionné, mais ton voisin l'a déjà oubliée.

Pour les auteurs des évangiles, c'est pareil : chacun retient de Jésus ce qui est important pour lui, et chacun comprend Jésus à sa manière. Il y a plus de ressemblances entre les évangiles que de différences. Chacun est unique et irremplaçable et ce sont les quatres textes réunis qui témoignent de la vie de Jésus.

Imagine encore que tu racontes cette même journée à des grands-parents, puis à ton meilleur copain, et enfin à ta petite sœur de cinq ans. Est-ce que tu utilises les mêmes mots, est-ce que tu racontes les mêmes détails ? Non, tu choisis ce qui va intéresser chacun. Les auteurs des évangiles ont fait la même chose. Ils avaient chacun un public différent. En écrivant, ils pensaient à leurs lecteurs et ont essayé de répondre à leurs questions.

Chapitre 5

Il était mort,
il est vivant !

Pourquoi ont-ils tué Jésus ?

C'est comme si tout le monde s'était entendu dans son dos.

Les chefs des prêtres et les scribes, spécialistes de la loi juive, étaient scandalisés par ce que faisait Jésus et par ce qu'il disait. «Pour qui se prend-il ? Pour Moïse ? Ou même pour Dieu ? Le voilà maintenant qui pardonne les péchés ! » Et pour eux, en principe, ceux qui blasphémaient, ceux qui se moquaient de Dieu, devaient être tués à coups de pierres, lapidés. Ce sont eux qui ont organisé un procès truqué, avec des faux témoins.

Hérode, prince de Galilée, la province de Jésus, lui, était jaloux de l'influence grandissante de Jésus, et il craignait pour son pouvoir.

Et Pilate, le gouverneur romain, qui ne trouvait pas que Jésus était coupable, accepta quand même de prononcer la condamnation à mort, par peur d'être dénoncé par les autorités juives à l'empereur de Rome.

Judas, qui était l'un des amis de Jésus, organisa l'arrestation. Peut-être pour gagner de l'argent, ou parce qu'il était déçu et ne faisait plus confiance à Jésus.

Quant à la foule, elle changeait facilement d'avis : un jour, elle acclamait Jésus entrant dans Jérusalem, et quelques jours après, elle criait : «Crucifie-le ! »

Finalement, pour des raisons différentes, c'est un peu eux tous qui ont tué Jésus.

Pourquoi Jésus s'est-il laissé tuer sur la croix ?

Nous, ses amis, nous étions sortis de Jérusalem, après le repas de la Pâque, pour retrouver le calme du jardin de Gethsémani. Jésus se tenait à l'écart avec Pierre, Jacques et Jean. Judas et les gardes du temple arrivèrent en brandissant des torches, des bâtons et des glaives. Judas embrasse Jésus, comme un disciple son maître, et aussitôt les gardes arrêtent Jésus. Nous voulons le défendre. Comme Pierre, je sors mon glaive, mais Jésus nous dit : « Laissez, ça suffit ! »

Pourquoi ne s'est il pas défendu ? Pourquoi s'est-il laissé arrêter, insulter et mettre à mort comme un criminel, lui, le Messie, le Fils de Dieu ?

J'étais révolté. Nous l'avions suivi pendant trois ans et il nous laissait seuls, en danger même, à cause de lui. Et puis il y avait tous ceux qui comptaient sur lui. Quelle trahison !

Bien plus tard, j'ai compris. Jésus était un juste, il refusait la haine, la violence. Comment aurait il pu agir autrement, même pour sauver sa vie, sans nous trahir ? Alors, je me suis souvenu de sa dernière prière : « Père, je leur ai révélé ton nom pour que l'amour dont tu m'as aimé soit en eux et moi en eux... »

Pourquoi dit-on qu'en mourant sur la croix Jésus nous a sauvés ?

Jésus, il y a des gens qui ne voulaient pas de lui. Sa façon de vivre, sa façon de parler de Dieu en disant qu'il n'exclut personne, cela les rendait furieux. Alors ils ont voulu le supprimer. Ils l'ont condamné à mourir pendu sur deux poutres de bois, la croix.

Jésus, évidemment, n'a pas cherché à mourir. Mais il ne s'est pas laissé impressionner par les menaces. En continuant à annoncer l'amour du Père pour tous les hommes, il comprenait bien qu'il prenait le risque d'être mis à mort. Il a même dit : « Ma vie, on ne me la prend pas, c'est moi qui la donne. »

Alors sa mort et sa façon de mourir nous montrent bien qu'il tient à nous plus encore qu'à sa vie.

Mais ce n'est pas seulement sa mort qui nous montre son amour et qui nous sauve, c'est toute sa vie. Quand Jésus, pendant des heures, parle aux foules de l'amour du Père, quand il guérit les malades, qu'il accueille les lépreux, ou qu'il pardonne les péchés, c'est toujours la même bonne nouvelle : Dieu ne veut pas que nous soyons vaincus par le mal et par la mort. Il nous sauve. Il veut nous faire vivre, revivre.

Et c'est surtout vrai à Pâques, quand Dieu le Père arrache Jésus lui-même à la mort. Dans cette résurrection, Dieu est vraiment vainqueur du mal.

C'est pourquoi nous disons que c'est par toute sa vie que Jésus nous sauve.

Où est le corps de Jésus disparu du tombeau?

Ce vendredi soir-là, moi, Benjamin, triste et désespéré, j'ai allumé la lampe à huile de sabbat. J'ai bien entendu les trois sonneries de trompe qui appelaient à la prière à la synagogue, mais je suis resté enfermé chez moi. Jésus était mort crucifié. En toute hâte, il avait fallu préparer son corps avant de l'inhumer dans un tombeau appartenant à Joseph, celui qui venait d'Arimathie. On l'avait lavé, frotté d'aloès et de myrrhe, aspergé de parfum.

Selon la coutume, on avait enveloppé son corps de longues bandelettes de lin et sa tête d'une serviette de toile. J'entendais les pleurs des disciples et les lamentations étouffées des femmes… Il fallait faire vite. Le soleil déclinait et l'heure du sabbat était proche. Alors, à plusieurs, nous avons roulé l'énorme pierre taillée qui fermait le tombeau. Ainsi, ni les chacals, ni ceux qui avaient mis à mort Jésus ne pourraient entrer.

Puis nous nous sommes séparés, le cœur serré.

Dimanche dans la nuit, d'autres disciples de Jésus sont venus me prévenir : «Le tombeau est vide!» Inquiet, je les interrogeais : «Le corps de Jésus a disparu? Que s'est-il passé? Qui l'a volé? Les Romains l'ont-ils caché ailleurs? Comment est-ce possible?»

Mais tous me répondaient en même temps, ceux qui venaient d'Emmaüs et les autres, ceux qui avaient rencontré Marie de Magdala et Simon Pierre : «Jésus est vivant! Nous l'avons vu! Il nous a parlé! Il est vivant, mais d'une autre façon que nous ; Dieu l'a ressuscité!»

Alors brusquement j'ai compris : le tombeau vide, c'est un signe. Jésus est vivant, il a rejoint Dieu son Père. J'avais envie de rire et de pleurer, mais je suis tombé à genoux : «Mon Dieu, qu'il est grand, ton Nom!»

Que veut dire :
Jésus est descendu aux enfers ?

Cela ne veut pas dire que Jésus est allé griller dans des flammes géantes, ni même qu'il est allé rencontrer le diable. Il ne s'agit pas de l'enfer où risquent d'aboutir les gens qui méprisent Dieu.

Au temps de Jésus, quand on disait « aux enfers », on voulait dire simplement « là où sont partis les morts », tous les morts. On ne savait pas trop où c'était ! Peut-être là-bas, en dessous des vivants ?

Nous disons : « Jésus est mort, a été enseveli, est descendu aux enfers. » Cela signifie qu'il est mort pour de bon, comme tout le monde un jour ou l'autre. Il a fait jusqu'au bout le voyage dont on ne revient pas.

Mais lui, il est revenu ! Nous affirmons qu'il est ressuscité ! Il a fait le chemin en sens inverse, de la mort vers la vie nouvelle, où on ne meurt plus. Il permet à tous les hommes de le suivre. Il les tire tous du fond de la mort. Il sauve tous ceux qui étaient morts avant lui, et tous ceux qui mourront après lui. Maintenant, le chemin qu'il a ouvert ne se refermera plus !

Jésus est-il vraiment ressuscité ?

C'était le matin de la fête de Pentecôte, où l'on commémorait les dix commandements donnés par Dieu à Moïse et la fin des récoltes de printemps. Quelle fête joyeuse ! Les femmes confectionnaient des pains avec le blé nouveau, et le vin tiré des jarres coulait à flots. Mais cette Pentecôte sans Jésus me rendait triste, comme ses apôtres qui l'avaient suivi depuis si longtemps. Cinquante jours déjà sans lui.

Les quatre routes qui menaient à Jérusalem étaient toutes encombrées par les caravanes des pèlerins et j'avais bien du mal à me frayer un passage pour rejoindre les apôtres qui m'attendaient.

Mais soudain, comme j'arrivais enfin devant leur maison, j'entendis le bruit d'une violente bourrasque de vent aussi forte qu'un coup de tonnerre. Les gens criaient, pris de panique, certains couraient vers la maison.

J'étais inquiet pour les apôtres. Mais ils sont sortis tous les douze, rayonnants ; et aussitôt ils se sont mis à parler. J'étais stupéfait, c'était bien des Galiléens et pourtant les pèlerins romains près de moi les comprenaient aussi ! Que se passait-il ? Avaient-ils déjà bu le vin de la fête ?

Pierre prit la parole : «Non, nous ne sommes pas ivres à cette heure-ci de la matinée ! Hommes d'Israël, écoutez-moi : cet homme que vous avez crucifié, Jésus le Nazaréen, Dieu l'a ressuscité, nous en sommes témoins. Que toute la maison d'Israël le sache avec certitude.»

Certains dans la foule interpellèrent Pierre : «Que devons-nous faire ?» Oui, que devons-nous faire pour être comme eux remplis de l'Esprit de Dieu et capables d'annoncer : Jésus le Christ est vivant. C'est vrai ! Quelque chose de nouveau commence !

Bouleversé par tout ce qu'il disait, j'ai bousculé la foule et je les ai rejoints pour être à leurs côtés…

Pourquoi on ne voit pas Jésus s'il est vivant ?

«Je m'appelle Marie-Madeleine. Je fais partie des amis de Jésus. C'est moi qui ai découvert son tombeau vide, le troisième jour après sa mort. Quelle frayeur ! J'ai pensé que l'on avait volé son corps. J'ai couru de toutes mes jambes annoncer la nouvelle aux autres.

Un peu plus tard, il s'est passé autre chose de fantastique : je l'ai vu. Oui, c'était bien lui, Jésus mon maître. VIVANT. Ça m'est bien égal si certains me prennent pour une folle. Et je n'ai plus besoin de le voir de mes yeux, maintenant. Je sais qu'il est là, cela me suffit. Eh bien oui, c'était vraiment arrivé : Jésus était sorti des griffes de la mort, comme il nous l'avait annoncé ! »

«Je m'appelle Marie-Agnès. Je vis au 20e siècle. Moi aussi, je suis une disciple de Jésus. Si je suis chrétienne, c'est en partie grâce à toi, Marie-Madeleine, parce que je crois en ton témoignage.

Moi, je n'ai jamais vu Jésus. Je crois qu'il est vivant, mais plus comme dans sa vie d'avant, quand il vivait dans ton pays, la Palestine. Je pense que Dieu lui a donné une autre forme de vie, qui dépasse les frontières du temps et de l'espace. C'est impossible à imaginer, et il m'arrive de douter. Mais il y a d'autres moments, où je suis sûre que c'est vrai, et que Jésus est présent dans ma vie à moi, comme dans la tienne, Marie-Madeleine. »

Pourquoi les apôtres ne reconnaissent-ils pas Jésus quand il est ressuscité ?

Quand, 2 000 ans après, je pense à Jésus, je me dis souvent que mon rêve, ce serait de voyager dans le temps et de me retrouver parmi ses amis à l'époque de Jésus. Le voir de mes yeux, entendre sa voix, ça devrait être extraordinaire !

Et puisqu'on est dans le rêve, j'aimerais aussi le voir après sa résurrection. Peut-être que moi, je l'aurais reconnu du premier coup ? Parce que ses compagnons, eux, ont mis du temps à comprendre ce qui arrivait. Il y en a deux qui ont marché avec lui sur la route de Jérusalem à Emmaüs. Ils l'ont d'abord pris pour un étranger. Et il y a ceux qui l'ont vu sur la rive du lac de Tibériade, où ils pêchaient. Ils ne l'ont pas reconnu tout de suite.

Cela n'a pas dû être facile pour eux de comprendre. C'était tellement nouveau, tellement incroyable ! Car Jésus était vivant, mais d'une autre manière. Oui, c'était bien lui, ni un fantôme, ni un rêve, puisqu'il mangeait avec eux. Mais il était différent. Il leur fallait apprendre à le regarder avec des yeux neufs.

Alors ils l'ont appris, jusqu'au moment où ils n'ont plus eu besoin de le voir. Ils étaient sûrs et certains que Jésus était sorti pour toujours de la mort.

Est-ce que Jésus reviendra
sur la terre ?

Nous sommes au premier siècle, juste après la mort de Jésus. Les premiers groupes de chrétiens se forment, d'abord en Palestine, puis au-delà des frontières.

Parmi eux, il y a les apôtres qui ont connu Jésus et qui l'ont vu vivant après sa mort. Pour eux, ces événements sont tout proches, encore brûlants. Puisque Jésus est revenu de la mort, alors ils pensent qu'il ne va pas tarder à revenir pour de bon, dans la gloire ! Puisque Jésus est entré dans la vie de Dieu, c'est bien qu'un temps nouveau va commencer. Pourquoi ne serait-ce pas le temps de Dieu ?

Alors ils attendent. Certains disciples décident même de ne plus rien faire du tout. À quoi bon réagir, puisque la fin du monde arrive ? Mais il ne se passe rien. Les mois passent, puis les années. Est-ce qu'ils auraient mal compris ? Peu à peu, en discutant, en priant aussi, ils comprennent que personne ne peut dire quand Jésus va revenir. Ils sont sûrs d'une chose, c'est que, lorsque le monde finira, Jésus sera au rendez-vous.

En attendant, la vie est là, comme un cadeau, et c'est à chacun de la construire. Les chrétiens ont compris là quelque chose d'essentiel : ils ne vont pas rester à genoux à attendre, mais plutôt debout à agir. Ils sont libres ! Ce qui n'empêche pas de se mettre à genoux, de temps en temps, pour prier !

Finalement, après le départ de Jésus, c'est le temps des chrétiens, le temps de l'Église qui commence. Ce n'est pas rien !

Les chrétiens comprennent aussi quelque chose de très important : Jésus ne les a pas abandonnés. Quand ils se réunissent pour prier, pour lire les évangiles et célébrer l'eucharistie, il est présent. Jésus les guide. Quand ils vont vers ceux qui sont seuls ou pauvres, c'est vers Jésus qu'ils se tournent.

Chapitre 6

Et qui donc est Dieu ?

Est-ce que
je suis important pour Dieu ?

Écoute, ouvre les yeux
sur la lumière qui vient,
moi, ton Dieu,
je suis près de toi,
tu ne me vois pas ?
Écoute le vent qui respire,
regarde ton visage gravé sur la paume de mes mains,
je t'aime.
Toi, Lazare, l'ami de Jésus,
qui t'a arraché à la mort.
Toi, Zachée, grimpé au sommet de ton arbre,
le jour où Jésus s'est invité chez toi.
Toi, Thérèse de Lisieux,
je te guide dans la nuit.
Vous êtes des milliards d'hommes, de femmes et d'enfants,
et pourtant c'est à toi que je parle,
moi l'Unique, pour toi qui es unique.
Tu as un prix infini à mes yeux.
C'est moi, Dieu,
je t'aime.
Oui, tu es important pour moi.

Pourquoi on ne voit pas Dieu ?

Parfois, je trouve franchement pénible de ne jamais voir Dieu. Au fond de moi, oui, je crois qu'il existe. Mais à vivre tous les jours, c'est plus compliqué. Vous en avez beaucoup, des amis invisibles et muets ? Par moments, je suis même en colère contre lui, je trouve cela un peu facile, cette absence. Pourquoi tant de mystère ?

Certains me répondront : « Tu ne vois pas Dieu ? C'est bien la preuve qu'il n'existe pas. » Un peu rapide, cette conclusion. Car tout le monde en connaît, des choses invisibles qui existent : le vent, l'air, la pensée, l'amour. On ne peut pas les saisir entre nos doigts, ni les observer avec nos yeux. On peut seulement voir leurs conséquences : l'arbre qui se plie sous le vent, les gens qui vivent ensemble par amour.

Et si, avec Dieu, c'était un peu pareil ? Peut-être finalement que je le vois tous les jours sans m'en rendre compte… Il y a, dans les évangiles, deux phrases de Jésus qui m'ont fait réfléchir. Il a dit : « Qui m'a vu a vu le Père » et aussi : « Tout ce que vous avez fait pour les plus petits, c'est à moi que vous l'avez fait. »

Quand je regarde l'autre, je regarde Jésus. Et quand je contemple Jésus, je vois Dieu, c'est extraordinaire, comme idée. Tout d'un coup, je trouve que le monde est plus grand.

Qui a inventé Dieu?

Quelle étrange question ! Comme si Dieu pouvait être rangé dans le livre des grandes inventions avec la boussole, la poudre ou l'imprimerie.

À moins qu'en disant : « Qui a inventé Dieu ? », on pense que Dieu, c'est comme l'histoire du « Petit Chaperon Rouge », sortie tout droit de l'imagination d'un homme.

Moi, j'ai envie de dire que ce n'est pas l'homme qui a cru le premier en Dieu, mais Dieu qui le premier, a fait confiance à l'homme. Il a pensé que tout homme serait capable de reconnaître son œuvre : tout homme, qu'il soit vêtu de peaux de bêtes ou très savant avec plein de livres dans la tête. Simplement en regardant les étoiles, les montagnes et les mers, les oiseaux et les ombellifères.

Bien sûr, nous ne pouvons pas voir Dieu ni le toucher, ni le rencontrer comme un simple voisin. Il est difficile de l'imaginer.

Alors certains ont cru qu'on l'avait inventé pour se rassurer, parce que l'on avait peur de la mort ou que l'on ne savait pas tout expliquer.

Pourtant, dès qu'il y a eu des hommes sur terre, au nord, au sud, à l'ouest ou à l'est, ils ont fait cette expérience qu'ils portaient en eux quelque chose d'inexplicable, de très grand, d'infini. Quelque chose qu'ils ne savaient pas exprimer, mais qui les faisait vivre : la présence de Dieu, comme une empreinte sur la blancheur de la première neige.

Pourquoi Dieu ne vit-il pas dans le monde qu'il a créé ?

Ce serait pratique si on pouvait repérer Dieu à un endroit du monde : dans les profondeurs bleues de la mer ou dans l'ombre fraîche d'une grotte ; dans le feu du soleil ou dans les caprices de la lune ; dans la fureur de l'orage ou dans la caresse du vent… Les hommes ont essayé depuis longtemps de trouver Dieu ici ou là. Eh bien, ils n'ont jamais pu mettre la main sur lui !

Il y a une bonne raison : Dieu n'habite pas dans un coin du monde. Dieu crée le monde. Alors le monde existe en lui-même. Le monde n'est pas Dieu. Nous ne sommes pas Dieu non plus. Il ne nous appartient pas… Il est immense et mystérieux, un peu comme le ciel. Voilà pourquoi nous disons souvent :

« Dieu est au ciel. » Cela ne veut pas dire qu'il habite sur les nuages ou dans les étoiles !

Alors, Dieu nous laisserait-il tout seuls ? Mais non. Ce Dieu très grand, on ne peut pas le voir ni le toucher, mais il est quand même proche de nous.

Il crée sans cesse la splendeur du monde. Il a parlé au peuple d'Israël par la bouche des prophètes qu'il a envoyés. Puis il a donné aux hommes son Fils Jésus pour vivre au milieu d'eux. Et chaque jour il nous emplit de son Esprit Saint. Quand nous nous retrouvons ensemble pour prier au nom de Jésus, Dieu est là, présent, pour de bon.

Est-ce que Dieu nous voit,
est-ce qu'il sait ce que l'on pense ?

Je me souviens d'une école où les élèves vivaient dans la terreur. Leur maître avait l'œil partout. La moindre bêtise, le moindre fou rire au fin fond d'une classe étaient repérés, enregistrés, punis. Il avait le don d'arriver par surprise, sans bruit, avec un horrible sourire satisfait. On aurait dit qu'il avait des antennes pour lire les pensées de ses malheureux élèves. Ceux-ci se sentaient coupables dès qu'ils le voyaient, même quand ils n'avaient rien fait…

Eh bien, si tu penses que Dieu ressemble à ce maître, détrompe-toi !

Il est vrai que Dieu, qui nous rend vivants, nous connaît à fond. Tout ce que nous faisons lui est familier, pas un recoin de notre vie ne lui est indifférent. Une belle prière de la Bible le dit bien : « Seigneur, tu me sondes, tu me connais ; que je me lève ou m'assoie, tu le sais, tu perces de loin mes pensées » (c'est le psaume 138).

Pourtant, Dieu ne nous surveille pas, il veille sur nous, il vit avec nous, ce n'est pas du tout pareil !

Il est aussi discret et aussi fidèle que le souffle d'air dont nous avons besoin pour notre respiration. Si ce souffle d'air vient à nous manquer, notre vie disparaît. Aussi silencieux qu'une brise légère, Dieu nous accompagne partout, mais il nous laisse libres et il respecte nos secrets.

Et si tu veux prier...

À quoi ça sert de prier ?

Des hommes et des femmes passent leur vie à prier Dieu, dans le secret de leur monastère et de leur cœur. Est-ce que ça sert à quelque chose ? Oui. C'est un peu comme passer du temps avec un ami. Tu as besoin de raconter à ton ami ce qui fait chaque jour de ta vie. Il n'en perd pas une miette, et toi, tu découvres encore mieux ton ami. Prier, cela ressemble à cela, mais c'est encore plus fort. Quand tu es heureux ou triste, Dieu t'écoute. Prier, ce n'est pas seulement se reposer du bruit du dehors et écouter le bruit du dedans, de ton cœur qui bat . C'est écouter Dieu qui te parle. Ce n'est pas toujours facile. Mais on a toute la vie pour apprendre !

Qui prier ?

Dans ta prière, seul ou avec des amis, tu peux t'adresser à Dieu de mille façons : mon Dieu, Père, Seigneur, Très Haut. Tu peux aussi t'adresser à Jésus ou à l'Esprit Saint.

N'importe où, 24 heures sur 24

Sur une colline, dans la chambre des parents ou dans ta cabane : Dieu te donne rendez-vous partout. Avec les cousins, avant un repas, après une balade, avant de t'endormir ou à la messe : Dieu te donne rendez-vous tout le temps.

Et si tu veux prier...

De la tête aux pieds

Tu peux tracer le signe de croix pour montrer que Dieu t'enveloppe tout entier. Tu peux fermer les yeux pour mieux écouter Dieu qui vient en toi. Tu peux te mettre à genoux parce que tu te sens petit à côté de Dieu. Tu peux donner la main à ton voisin si tu pries avec d'autres. En tailleur ou debout : à toi de voir comment tu te sens le plus à l'aise pour prier.

Mes mots, leurs mots

Tu peux prier avec tes mots de tous les jours : « merci », « pardon », « pourquoi ? », « s'il te plaît »… Ou avec des mots que tu inventes rien que pour Dieu. Ou avec une poésie, une lettre, une chanson.

Il y a des centaines d'années, des croyants ont écrit la Bible. Ce livre, c'est Dieu qui l'a inspiré. Pour prier, tu peux en lire un passage, retenir une phrase.

Prie aussi avec tes amis, tes frères, tes sœurs. Vous partagerez les mots de vos prières. C'est tellement beau de prier à plusieurs voix !

Silence ou danse

Ta prière peut aussi être silencieuse. Comme avec un ami, quand tu n'as pas besoin de parler tellement vous êtes bien ensemble. Si tu veux trouver le calme, aide-toi de quelques « trucs » : une bougie, de la musique, une belle image.

Mais la prière n'est pas forcément silencieuse. Joue de la flûte, peins en écoutant un beau texte, mime une histoire avec d'autres. Dieu aime aussi le mouvement et les éclats de rire.

Est-ce qu'on croit en Jésus Christ ou en Dieu ?

Grand-père, je ne comprends pas bien. Les juifs croient en Dieu, les musulmans aussi. Et nous, les chrétiens, on croit en Dieu ou en Jésus ?

– Les deux, mon petit bonhomme ! Jésus a mis toute sa confiance en Dieu. Avec les juifs, le peuple de Jésus, nous croyons en un seul Dieu, qu'avec Jésus, nous appelons Père.

Mais, quand Jésus guérissait les gens, qu'il pardonnait les péchés, ou quand il parlait de Dieu, il nous a montré qu'il était complètement un avec ce Père. Alors, nous croyons aussi en lui, Jésus, le Fils de Dieu. Il est Dieu avec Dieu, Dieu comme Dieu, depuis toujours. D'ailleurs, Jésus lui-même nous a dit : « Vous croyez en Dieu, croyez aussi en moi. »

– Alors, il y a deux dieux ?

– Non, bien sûr ! Quand nous proclamons le *Credo*, à la messe, nous disons que Jésus est *Dieu né de Dieu* , le Père, comme une *lumière née de la lumière* : un peu comme une flamme, quand elle naît d'une autre flamme, c'est toujours le même feu, la même lumière. Il y a donc bien deux personnes, deux *quelqu'un*, le Père et le Fils, mais un seul Dieu. « Moi et le Père nous sommes un », nous dit Jésus. Et il nous a appris qu'il y a aussi une troisième personne, le Saint-Esprit. Il est Dieu lui aussi. Il met en nous la vie de Dieu. Nous lui disons *Seigneur*, et nous l'adorons exactement comme le Père et le Fils.

Mais, croire *au Père, au Fils et au Saint-Esprit*, ce n'est pas au choix, l'un ou l'autre. C'est une seule et même lumière, une seule et même foi. C'est ce que nous appelons croire en la Trinité.

Pourquoi appelle-t-on Dieu : Notre Père ?

C'est le soir. Tu es dans ta chambre et tu viens juste d'éteindre la lumière. Plus un bruit. Tu sens en toi le désir de parler, de confier ta journée. Tu as envie qu'on t'écoute, tout simplement, comme ceux qui t'aiment savent parfois le faire.

Alors, tu murmures les premiers mots de la grande prière des chrétiens : « Notre Père qui es aux Cieux… »

Ces paroles, Jésus lui-même les a prononcées. Il appelait Dieu « Abba », ce qui veut dire Papa. Jésus nous a montré à quel point Dieu pouvait l'aimer comme son Fils.

Ces mots, Jésus ne les a pas gardés pour lui, ses disciples les ont prononcés avec lui.

Depuis deux mille ans, tous les chrétiens commencent leur prière par ces mêmes mots. Ils reconnaissent ainsi qu'ils sont fils de Dieu, eux et tous les hommes de la terre.

C'est quoi,
l'Esprit Saint ?

Dis-moi qui tu es,
car je sais, Jésus nous l'a dit,
que tu n'es pas quelque chose, mais quelqu'un.

Quand je lis les premières pages de la Bible,
déjà tu es là,
comme la force de Dieu et sa lumière.
Tu parles par les prophètes et tu couronnes les rois.

« L'Esprit de Dieu repose sur moi. »
Isaïe l'avait dit, c'était tout à fait vrai pour Jésus,
et moi, depuis mon baptême, je peux le chanter aussi.

Jésus nous l'avait promis.
À la Pentecôte, tu es venu sur ses premiers apôtres.
Comme un souffle, pour qu'ils aillent dans le monde entier.
Comme un feu dans leur cœur, pour qu'ils aiment jusqu'au bout.

Aujourd'hui, je voudrais mieux te connaître et mieux te prier.
J'aimerais connaître mieux Jésus, et Dieu, son Père et notre Père.
Alors j'ai soif de toi.
Viens en moi, viens en nous, Esprit Saint !

Dieu est-il trois personnes ?

Les chrétiens sont baptisés « au nom du Père, et du Fils, et du Saint-Esprit » : nous croyons au Père, au Fils et au Saint-Esprit. Il y a donc bien trois personnes distinctes.

Mais Dieu n'est pas trois personnes. Dieu, c'est le Créateur de l'univers, le Père de Jésus. Et Jésus ne se prend pas pour Dieu le Père. Il nous dit : « Le Père qui m'a envoyé… Je vais vers le Père… Je prierai le Père. » Jésus ne se prend pas non plus pour le Saint-Esprit. Il nous en parle comme de quelqu'un d'autre.

Et tous les trois sont tellement unis, dans l'amour, qu'ils sont parfaitement un. Le Fils et l'Esprit sont tellement un avec Dieu, le Père, que de chacun d'eux on peut dire aussi : il est Dieu comme Dieu.

Quand on s'aime vraiment, on voudrait ne plus faire qu'un : le mari avec sa femme, la maman avec son enfant. Et en même temps, on est content de rester différents pour que chacun puisse admirer l'autre. Avec Dieu, c'est encore plus vrai : le Père, le Fils et le Saint-Esprit sont à la fois vraiment distincts et complètement un. C'est cette unité des trois qu'en réunissant les deux mots « trois » et « unité » nous appelons « la Trinité ».

Pourquoi Dieu a-t-il envoyé son Fils sur la terre, au lieu de venir lui-même ?

Quand un père envoie son fils faire quelque chose de difficile et de dangereux, il reste très inquiet pour lui, jusqu'à ce qu'il soit revenu. Il imagine tout ce qui pourrait lui arriver, et il le vit avec lui. C'est peut-être encore plus pénible pour lui que s'il y était lui-même. Autour de lui les gens disent : « Il en est malade ! »

Jésus et Dieu son Père sont encore plus proches, plus unis. Celui qui me voit, dit Jésus, c'est comme s'il voyait le Père : « Moi et le Père, nous sommes un. » Alors, en Jésus qui vient vers nous, c'est aussi le Père qui se risque et qui se donne.

Avant Jésus, son Fils, Dieu avait envoyé aux hommes bien des messagers, les prophètes. Beaucoup ont été maltraités, comme Jérémie ; certains même tués, comme Isaïe ou Jean le Baptiste. Et Dieu se disait peut-être : « Les hommes n'ont pas encore compris combien je tiens à eux ; si je leur envoie mon Fils, ce que j'ai de plus cher, ils comprendront que, malgré tous leurs refus, jamais je ne les laisserai tomber. »

Comment Dieu réagit-il face à la science et au progrès?

Il y a des milliers d'années, nos ancêtres ont découvert qu'on pouvait utiliser le feu, qu'il permettait par exemple de faire cuire des aliments. On le surveillait en permanence, car on ne savait pas bien l'allumer. Cela paraît simple, et pourtant ce fut une immense découverte.

Car nous, les hommes, nous sommes curieux depuis le début de notre histoire. Nous avons toujours voulu savoir comment le monde marchait et trouver des explications à ce qui nous semblait étrange. Un progrès en a entraîné un autre, et le feu, si difficile à conserver autrefois, éclate maintenant en un instant d'une allumette.

Les découvertes scientifiques ont permis aux hommes de vivre mieux, et aussi de mieux comprendre le monde, la création de Dieu. Alors, on se demande bien pourquoi Dieu serait contre la science…

Ces mêmes progrès nous montrent aussi que le mystère de Dieu reste entier. On peut remonter très loin dans l'histoire de la création du monde, on n'est pas près d'arriver à l'origine du monde.

La Bible nous le dit : Dieu nous a confié la terre, sa création, pour que nous la rendions plus belle et que nous la fassions grandir. Et il n'a pas cessé de mettre les hommes en garde contre ce qui pourrait l'abîmer.

Quand les hommes détruisent les forêts, comme en Amazonie, c'est inquiétant. Quand on voit le travail de certains scientifiques qui ont pu inventer deux moutons copies conformes, on se dit qu'un jour ils essaieront peut-être de faire la même chose avec les humains. C'est terrifiant.

Tout cela fait peur et ne doit pas enchanter Dieu. C'est à nous les hommes de rester en alerte, de veiller à utiliser au mieux les progrès de la science. Car toutes les connaissances qui améliorent la vie des hommes continuent l'œuvre de Dieu, sa création. C'est bien le désir de Dieu.

Dieu
est-il heureux?

Mesdames, messieurs, bonsoir.

Dans notre émission «La question-minute», une téléspectatrice nous demande : «Dieu est-il heureux?» Nous avons voulu répondre, chers téléspectateurs, en interviewant Dieu. Malheureusement, malgré de nombreuses recherches, nous ne sommes pas parvenus à le joindre. Nous avons pourtant demandé son adresse au pape, interrogé les spécialistes et Internet. Rien. Pas d'adresse. Sans domicile fixe. Eh oui, chers téléspectateurs, Dieu n'est pas comme vous et moi.

Pleure-t-il? Éclate-t-il de rire? Souffre-t-il? Dieu est tellement différent de nous!

En revanche, nous en avons profité pour poser la même question au pape, à Sœur Emmanuelle, mais aussi à Pierre, mon petit voisin de neuf ans, à une grand-mère et à un boulanger. Et figurez-vous qu'ils sont passés aux aveux : ils sont heureux parce qu'ils sont proches de Dieu et que cela éclaire leur vie.

Alors, chers téléspectateurs, à nous de vous poser une question : «Dieu ne serait-il pas lui-même source de bonheur?»

Est-il vrai que le diable est l'ennemi de Dieu?

Dans la Bible, « diable » veut dire « celui qui divise ». On l'appelle aussi Satan, Belzébuth, le Malin. Il sème la pagaille, il nous pousse vers le mal, il nous éloigne de Dieu, il est son ennemi.

Il est comme un combat à l'intérieur de nous, entre ce qu'on veut faire et ce qu'il faudrait faire.

Tout au long de sa vie, Jésus a combattu le mal. Mais Jésus avait avec lui la force de son Père, son amour, tellement plus fort que le mal. Sur la croix, Jésus semble avoir tout perdu. Il va mourir pour toujours, lui le Fils de Dieu?

Non! Le troisième jour après sa mort, le voilà vivant pour toujours. Il a vaincu le mal!

Avec Jésus, nous aussi, nous devons lutter contre le mal et, avec lui, nous gagnerons. Dieu nous écoute quand nous lui parlons de nos peurs, quand nous lui livrons nos questions.

Comme dans le « Notre Père », nous lui disons : « Ne laisse pas la tentation l'emporter sur nous, mais délivre-nous du mal. »

Est-ce que Dieu est vraiment bon ?

La liste est trop longue : guerres, famines, disputes et maladies mortelles, catastrophes, accidents et bien d'autres malheurs défigurent notre pauvre terre : cela te donne envie de crier ou de pleurer ! Et tu te demandes comment on peut dire que Dieu est bon…

Nous pensons souvent que si Dieu était bon, il nous éviterait de souffrir ; il nous ferait plaisir avant tout ; il orienterait notre vie sans que nous ayons besoin de réfléchir. Bref, il serait comme un magicien à notre service, une sorte de papa gâteau. Alors là, Dieu nous déçoit, c'est sûr.

Pourtant Dieu est bon, mais d'une façon qu'on ne comprend pas toujours. Les chrétiens l'affirment. Ils ne sont pas plus naïfs que les autres, ils voient bien les malheurs.

Simplement ils constatent que cela vaut la peine de compter sur Dieu, surtout quand la vie est cruelle.

Dans toute la Bible, Dieu nous dit qu'il nous aime. Il nous crée pour nous aimer. Il nous a envoyé son Fils Jésus pour nous le dire. Jésus s'est mis de notre côté pour supporter le mal. Il est aussi de notre côté pour le faire reculer. Car il nous a appris le seul moyen d'y arriver : aimer les autres. Dieu compte sur nous pour cela. C'est de cette façon qu'il veut combattre le mal.

Soyons bons avec les autres comme Jésus nous le demande. Alors nous comprendrons que Dieu est bon, et nous le ferons comprendre autour de nous.

Comment
faire pour aimer Dieu ?

Un jour, dans sa prière, Nicolas se pose cette question : comment faire pour aimer Dieu alors que je ne le vois même pas ? Pas évident !

Mais ce n'est peut-être pas si compliqué. Il suffit de pas grand-chose. En ce moment, par exemple, je suis sûr qu'il m'écoute, je l'écoute, on se parle. C'est cela, la prière. Prier, c'est une façon de l'aimer.

Et Nicolas se souvient de ce qu'il a entendu au catéchisme, dans une lettre que Jean écrivait aux premiers chrétiens : « Si quelqu'un dit : "J'aime Dieu" et qu'il haïsse son frère, c'est un menteur. En effet, celui qui n'aime pas son frère qu'il voit ne peut pas aimer Dieu qu'il ne voit pas. »

Alors Nicolas se dit : si j'aime les autres, j'aime Dieu. Finalement, je crois que je t'ai souvent aimé sans le savoir, toi, mon Dieu.

Chapitre 7

Croire, quelle aventure !

À quoi ça sert
de croire en Dieu ?

Elle est drôle, ta question !

Pour moi, on ne peut pas dire que cela « serve » à quelque chose. Ce n'est pas comme une voiture qui sert à voyager, ou comme l'école qui sert à apprendre. Si je crois en Dieu, ce n'est pas parce que c'est pratique ou utile. C'est comme si tu demandais à quoi ça me sert d'aimer et d'être aimé. Aimer, cela ne sert à rien, mais ça change ma vie.

Croire en Dieu, c'est pareil. À première vue, je pourrais même m'en passer, et pourtant, cela change tout pour moi. Je ne dis pas que c'est comme une potion magique qui arrange tout ! Ma foi en Dieu ne me rend pas plus malin ni plus fort que les autres.

Mais, à cause de ma foi, je regarde les choses d'un œil différent. Ma vie a un sens. Je crois que Dieu m'a offert la vie et j'ai envie d'en faire quelque chose de bien pour le remercier. Je crois que Dieu m'aime et j'ai envie d'aimer les autres avec lui. Je crois que Dieu me fait des signes et cela me donne envie de les découvrir.

Tout compte fait, croire en Dieu me rend vivant, au moins autant que l'oxygène !

Pourquoi y a-t-il des gens qui ne croient pas en Dieu ?

Dans le monde, un grand nombre de personnes ne croient pas en Dieu. Lorsqu'on leur parle de Dieu, elles disent : « Ce n'est pas possible. Si Dieu existait, il n'y aurait pas tout ce mal ni autant d'injustices et de haines. Si Dieu existait, il n'accepterait pas la mort des enfants innocents… »

D'autres affirment que l'univers est comme une sorte de super-ordinateur. Quand nous aurons trouvé le code secret, l'homme n'aura plus besoin de Dieu pour expliquer le monde.

Certains encore sont tellement occupés, jour après jour, minute après minute, qu'ils voient la vie comme un grand jeu de l'oie. Ils passent de case en case, à toute vitesse, en pensant : « Dieu, ça ne m'intéresse pas, ce n'est pas très utile. »

Et puis nombreux sont ceux qui n'ont jamais entendu parler de Dieu. L'étincelle dans leur cœur est restée si petite qu'ils ne peuvent pas la découvrir.

Enfin, il y a ceux qui disent que Dieu n'existe pas ou même qu'il est un ennemi qu'il faut combattre. Ils détestent le message de la Bible. Ils persécutent ceux qui croient en lui.

Les raisons de ne pas croire en Dieu sont donc nombreuses. Le désir de croire n'est pas automatique. On le découvre parfois très lentement enfoui sous des tonnes d'occupations. Et puis il y a tellement d'images fausses sur Dieu ! Qui voudrait d'un Dieu méchant, vengeur, juge, empêchant l'homme d'être libre et décidant tout pour lui à l'avance ? Ce n'est pas en ce Dieu-là que croient les chrétiens.

Pourquoi tout le monde n'a pas la même religion ?

Louise est chrétienne. Dans sa classe, Samuel est juif, Youssouf musulman. Les parents de Samuel et de Youssouf croient en Dieu, et ils décident de transmettre à leurs enfants ce qu'ils savent de Dieu. Lorsqu'elle n'était encore qu'un bébé, les parents de Louise ont décidé qu'elle serait baptisée. Aujourd'hui, Louise va au catéchisme avec d'autres enfants chrétiens.

Parfois, elle demande à ses parents pourquoi elle est chrétienne alors que Samuel et Youssouf, avec lesquels elle partage tant de choses, ne le sont pas. En effet, tout le monde n'a pas la même religion. Le hasard fait naître chacun dans des pays ou dans des familles qui ont une longue histoire. Certains peuples ont vécu des rencontres avec des êtres tellement extraordinaires, comme Moïse ou Mahomet, que leurs manières de prier et de vivre avec Dieu en ont été totalement bouleversées. Youssouf et Samuel sont des descendants de ces peuples. Ils ne croient pas en Jésus le Christ, mais ce qu'ils vivent est important pour Dieu.

Un jour peut-être, s'ils en discutent ensemble, Louise leur parlera de sa foi en Jésus. En grandissant, Louise, Samuel et Youssouf auront à confirmer la façon dont ils veulent continuer leur vie avec Dieu. Et chacun devra apprendre à respecter le choix des autres.

Pourquoi y a-t-il des guerres de religion ?

L'histoire de l'humanité est longue. Elle est faite de magnifiques découvertes, comme le feu, la roue ou l'écriture, mais aussi de terribles inventions comme la guerre.

Depuis que les hommes ont cessé d'être des nomades, depuis qu'ils se sont installés pour cultiver la terre et élever du bétail, ils se sont querellés pour occuper des morceaux de territoire. Et puis, ils se sont bagarrés pour diriger ces territoires.

Et puis, ils se sont fait la guerre pour une raison ou pour une autre, le plus souvent pour des questions d'argent et de pouvoir, ou quelquefois aussi au nom de leur religion. Aujourd'hui encore, des gens tuent leurs voisins, leurs compatriotes, et ils disent que c'est au nom de leur religion.

Mais la vraie raison de tous ces conflits, de toutes ces guerres, c'est la volonté d'imposer sa loi par la force. Or, certains, comme Jésus en Palestine, comme Gandhi en Inde ou Martin Luther King aux États-Unis, l'ont montré : il est possible de se faire entendre sans la violence des armes.

Peut-on croire
en Dieu sans être baptisé ?

Ludovic a un copain, Amal, qui est musulman. Amal croit en Dieu, mais il n'est pas baptisé puisque sa religion, c'est l'islam. Le baptême, c'est pour les chrétiens ! Ludovic a aussi un oncle, Patrick, qui n'est pas baptisé non plus. Il ne fait partie d'aucune religion. Pourtant, quand Ludovic lui a demandé : « Tu crois en Dieu, toi ? », Patrick lui a répondu : « Oui, mon p'tit Ludo. On peut être croyant sans aller à l'église ni à la mosquée ! »

Ludovic a du mal à comprendre. On lui avait dit que le baptême, cela faisait entrer dans la famille des croyants. Alors Amal et Patrick, est-ce qu'ils croient vraiment ? Ou peut-être que ce n'est pas le même Dieu ?

Et pourtant si, on peut croire en Dieu sans être baptisé. C'est le cas d'Amal et de Patrick, et leur foi n'est pas forcément moins forte pour autant. Simplement, quand on est chrétien comme Ludovic, on ne croit pas seulement en Dieu : on reconnaît que Jésus est son Fils et qu'il nous le fait connaître. Le baptême chrétien fait entrer dans la vie de Dieu. On est lié à lui, par son Fils, d'une manière unique.

Je suis croyante, mais je ne crois pas au paradis. Pourquoi ?

Tu as du mal à croire au paradis et aux images qui se promènent dans ta tête. Tu te dis qu'il est impossible que le paradis tel que tu l'imagines existe pour toujours.

Le paradis, chacun le rêve à sa façon, en essayant d'assembler tout ce qui peut rendre heureux dans la vie : des parents qui s'aiment très fort, une grande après-midi à jouer sans fin au bord de la mer, des histoires magnifiques... La Bible aussi est pleine d'images pour nous faire ressentir cette vie promise par Dieu : une source d'eau bien fraîche quand on est dans le désert, un festin ou une fête.

Nous pouvons rêver qu'un jour nous vivrons tous totalement avec Dieu, portés par le bonheur infini de nous savoir vivants et aimés. C'est ainsi que les chrétiens croient au paradis : comme de magnifiques retrouvailles avec Dieu et avec tous ceux que nous avons aimés. Parfois aussi, l'instant que nous sommes en train de vivre porte en lui un petit goût de paradis. Et l'on voudrait bien que cela dure toujours.

La Bible est-elle une histoire vraie ?

La Bible n'est pas le livre d'un historien qui aurait voulu raconter, dans l'ordre, tous les événements depuis la création du monde.

Dans ce gros volume, il y a soixante-treize livres reliés ensemble, une vraie bibliothèque. La première partie est la bibliothèque officielle des juifs, leurs livres les plus anciens. Dans la seconde partie, le Nouveau Testament, les chrétiens ont ajouté leurs livres à eux.

Dans ces livres, on trouve à la fois des récits historiques, comme le couronnement du roi David, des poèmes, comme le Cantique des cantiques ou le poème des Sept Jours de la création. Mais il y a aussi des prières comme les Psaumes ou des conseils pour vivre, comme dans les Proverbes ou certaines lettres de saint Paul. Il y a même des recueils de lois.

Tous ces textes, bien sûr, nous disent des choses vraies, importantes pour nous, pour connaître Dieu, pour comprendre l'homme. Non seulement parce que leurs auteurs ne sont pas des menteurs, mais parce que Dieu les a soutenus, éclairés dans leur travail. Ils étaient inspirés par le Saint-Esprit.

Alors, parmi ces textes, ceux qui racontent des événements sont-ils une histoire vraie ? Ces événements se sont-ils tous réellement passés ?

Il ne faut pas imaginer les auteurs de la Bible comme des historiens d'aujourd'hui, qui font de longues enquêtes et vérifient tous les détails. Quand les évangélistes racontent, par exemple, le procès de Jésus, il peut leur arriver de simplifier ou de modifier des détails pour que nous comprenions mieux ce qui est le plus important.

Parce que ce qui les intéresse, au-delà du déroulement des événements, c'est de montrer que jamais, quoi qu'il arrive, Dieu ne nous abandonne. Que ce soit dans l'histoire d'Israël ou dans l'histoire de Jésus, Dieu intervient toujours pour sauver son peuple.

Et cela, c'est bien une histoire vraie, qui continue.

Une parabole est-elle une histoire vraie ou inventée par Jésus ?

Comme tous les Palestiniens de son époque, Jésus aime prendre du temps pour parler. Il aime particulièrement raconter des histoires toutes simples, des paraboles. Il les invente pour les gens qu'il rencontre.

Même si ces histoires ne sont pas réellement arrivées, elles disent des choses vraies sur Dieu. Ce n'est pas facile de raconter Dieu, lui qui est si différent de nous ! Jésus choisit des images que tout le monde comprend. Chacun peut y retrouver un peu de sa propre vie.

Tiens, l'histoire du grain de moutarde, par exemple. Jésus raconte que le Royaume de Dieu est comme un grain de moutarde, le plus petit de tous les grains qu'un homme sème. Quand il pousse, il devient un grand arbuste, le plus grand de tous, et les oiseaux viennent s'y percher. Incroyable ! Avec cette parabole, Jésus fait un peu mieux comprendre aux gens l'amour de Dieu : un amour qui fait grandir à partir de presque rien. Jésus fait réfléchir les gens.

Les paraboles de Jésus sont des histoires souvent inventées qui nous aident à comprendre des choses nouvelles, immenses et vraies.

Jésus fait-il encore des miracles ?

Jésus, à son époque, parcourait toute la Galilée, enseignant dans les synagogues, annonçant le règne de Dieu et guérissant toute maladie et toute infirmité dans le peuple. Mais aujourd'hui Jésus fait-il encore des miracles ?

Le mot miracle vient d'un mot latin : *mirari*. C'est ce dont on s'étonne, que l'on admire. Pour beaucoup de gens, un miracle, c'est ce qui est impossible et qui arrive quand même. Saint Jean, lui, préfère parler de « signe ».

Les choses impossibles que Jésus accomplissait au nom de Dieu sont des signes étonnants. Il régénérait ce qui était malade, faisait revivre ce qui était mort, tournait vers Dieu celui qui s'en détournait.

Aujourd'hui encore, certains accueillent sa parole et ne sont plus sourds à l'amour ; d'autres, qui marchaient comme des boiteux dans leur vie, repartent sur leurs pieds. D'autres encore guérissent dans leur corps sans qu'ils fassent forcément la une des journaux. C'est peut-être cela, les signes de Jésus aujourd'hui.

Y a-t-il des apparitions de la Vierge Marie ?

En 1858, personne ne connaît Lourdes, un petit coin perdu dans les Pyrénées. Jusqu'au jour où une jeune bergère de quatorze ans y voit la Vierge Marie. Celle-ci apparaît devant Bernadette Soubirous dix-neuf fois. Aussitôt, les gens accourent, mais eux ne voient rien. Certains la traitent de folle ou pensent qu'elle veut gagner de l'argent. Mais beaucoup de gens l'ont crue. Aujourd'hui, l'Église reconnaît la sainteté de Bernadette et Lourdes comme lieu de pèlerinage.

Pour chaque événement comme celui-ci, l'Église se montre extrêmement prudente.

Il ne s'agit pas de crier au miracle à chaque incident un peu mystérieux ! Une longue enquête est menée pour distinguer les mensonges ou les hallucinations des expériences spirituelles authentiques.

Certains lieux comme Lourdes sont devenus célèbres. Des millions d'hommes et de femmes y trouvent du réconfort et du courage, certains malades la guérison. Ce sont des endroits privilégiés où les croyants, venus parfois de très loin, peuvent se retrouver pour prier avec d'autres.

Que dire quand on se moque de moi parce que je crois en Dieu ?

Chère Flore,

Un jour, quand j'avais dix ans, la maîtresse nous avait demandé, en rédaction, le portrait de quelqu'un. J'avais choisi Jésus. Toute la classe s'était moquée de moi.

Vingt ans sont passés. J'ai grandi, j'ai rencontré des gens, j'ai réfléchi. Maintenant, je sais que ma foi en Dieu fait partie de moi, de ma vie. Comme mes yeux verts ou mes colères. Sans cette foi, je ne serais pas vraiment moi. Sans Jésus, je serais un peu perdue. Il est comme un ami en qui j'ai totalement confiance et que j'essaie de suivre.

Bien sûr, ce n'est pas facile de crier haut et fort ce que je crois. Souvent, je dis tout simplement que je ne peux pas faire autrement que de croire en Dieu. Je parle de la force que cela me donne, mais aussi des questions que je me pose. J'essaie de vivre comme une croyante. Si mes camarades de classe me retrouvaient, ils seraient surpris de voir que je n'ai pas oublié leurs moqueries. Mais j'ai pardonné.

Je t'embrasse très fort.

Annie, ta marraine

Pourquoi dit-on qu'aimer les autres, c'est aimer Dieu ?

Il y a des jours où on se sent gai, léger comme le vent, tout aimant. On aurait envie d'aimer le monde entier ! Il y a des jours où on se sent lourd, fermé, piquant comme le vent glacé. Ces jours-là, l'amour, c'est dur. C'est difficile d'aimer tout le monde, tout le temps ; c'est dur d'aimer ceux qui ne nous aiment pas.

Jésus, lui, nous a dit d'aimer jusqu'à nos ennemis, car chacun d'entre nous est aimé de Dieu. Il n'a pas hésité à aimer ceux qui l'ont tué, il a demandé à Dieu de pardonner à ses assassins… C'est un peu fou, cet amour-là, un peu comme si Dieu était fou d'amour !

Même si cela paraît bizarre, aimer Dieu, pour un chrétien, c'est tout faire pour aimer les autres. Les saints l'ont compris, comme saint Vincent de Paul qui a mis sa vie au service des plus pauvres, comme saint Martin qui a partagé son manteau au plus froid de l'hiver avec un miséreux. C'est peut-être parce que l'amour est le plus beau cadeau de Dieu, un cadeau qu'on peut offrir aux autres hommes tous les jours de sa vie.

Peut-on croire
à l'horoscope ?

Depuis qu'ils observent le ciel, les hommes ont cette croyance, qui n'est pas une vérité scientifique, qu'il existe un lien entre les choses célestes et les hommes.

Il y a cinq mille ans, les Mésopotamiens ont inventé l'astrologie (mot qui signifie en grec « discours sur les astres »). Ils ont observé la course du soleil toute l'année dans le ciel. Ils ont noté la situation des planètes, le passage des comètes et tout ce qui se passait, la nuit, au-dessus de leur tête. En même temps, ils ont noté ce qui se passait dans le monde : les tremblements de terre, les inondations, les éruptions, mais aussi les grands événements de l'histoire des hommes. Ils ont fait des calculs, des cartes du ciel pour chaque jour. L'horoscope était né : chaque homme pouvait connaître sa destinée, son futur, en étudiant la position des astres le jour de sa naissance. Ainsi, pour les Mésopotamiens, l'astrologie était un don des dieux, pour les aider à mieux vivre leur vie.

Aujourd'hui, la moitié de l'humanité croit encore à l'influence des astres sur notre vie. Pourtant, Dieu seul connaît l'avenir, sur lequel l'horoscope ne peut rien nous apprendre. Saint Thomas d'Aquin disait : « Le sage régit son étoile, l'ignorant est régi par elle. »

Il te suffit, avec ce que tu es, avec ce que ta naissance t'a donné, de choisir ce que tu veux devenir. Et tu peux aussi t'enrichir de ce que sont les autres, pour construire ta vie. Pour cela, pas besoin d'horoscope !

Pourquoi y a-t-il des croyants
qui font la guerre ?

J'ai lu un livre qui se passe pendant la guerre de 39-45. Le héros s'appelle Victor. Comme moi ! Quand la guerre commence, il a neuf ans. Comme moi ! Victor va au catéchisme et il aime bien le prêtre qui fait le catéchisme parce qu'il a une moto.

Eh bien, quand la guerre éclate, le prêtre abandonne les gens de son église. Pour aller où ? Se battre comme soldat ! J'ai du mal à comprendre. C'est facile de dire qu'on est croyant. « Aimez-vous les uns les autres, comme je vous ai aimés », tout le tralala... Et hop ! Dès qu'on n'est pas d'accord, on se tire dessus.

J'ai demandé à mon grand-père qu'il m'explique. Parce que lui aussi, il a fait la guerre de 39-45. Il m'a dit que la violence ne disparaîtrait jamais complètement du monde. Et il croit en Dieu. Quand on l'a appelé pour la guerre, il s'est posé la même question que moi. Et puis il s'est rendu compte que les Français souffraient de la guerre. Il ne pouvait pas accepter qu'ils perdent leur liberté. Alors il y est allé. Bien sûr, il avait le cœur lourd. Bien sûr, il repense toujours à ce soldat allemand qu'il a vu mourir sous ses yeux. Mais jamais, jamais une seconde, il n'a détesté ses adversaires. Il se battait pour gagner la paix.

Il m'a aussi expliqué que les hommes ont trop souffert. Alors, aujourd'hui, ils essaient de trouver des solutions. Par exemple, des pays se sont groupés pour créer les soldats de la paix. Avec l'aide de l'ONU, ces soldats protègent les gens et défendent la paix dans les pays en guerre.

Maintenant, je comprends. Mais quand je vois les yeux de mon grand-père lorsqu'il me parle de sa guerre, je souhaite très fort que plus personne ne fasse la guerre.

Chapitre 8

Le choix
des chrétiens

Comment se fait-il que nous soyons encore chrétiens après 2 000 ans ?

C'est d'abord l'histoire d'un homme qu'on aurait pu oublier très vite. À son époque, il n'y avait pas de journaux, pas de télévision. Il vivait dans un petit pays occupé par des ennemis. Il n'était pas riche. Il est mort jeune, exécuté comme le dernier des esclaves.

Cet homme, c'est Jésus le Christ. Deux mille ans plus tard, un tiers des habitants du monde portent son nom. Ce sont les « chrisiens », autrement dit les chrétiens. Mais comment est-ce possible ?

Eh bien, voilà : cet homme a vécu quelque chose d'inimaginable. Il est ressorti pour toujours de la mort. Alors ses amis ont compris qu'il était le Fils de Dieu. Grâce à lui, la mort n'a plus le dernier mot.

Les apôtres de Jésus ont porté cette très bonne nouvelle à toute la terre. Beaucoup y ont laissé la vie, ils sont devenus des martyrs. Grâce à leur témoignage, d'autres gens ont compris que cela valait la peine de croire en Jésus le Christ.

De siècle en siècle, inspirés par l'Esprit Saint, les croyants se sont transmis cette foi comme un trésor, même si ce n'était pas facile. Elle est arrivée jusqu'à tes parents, tes catéchistes ou tes copains, puis jusqu'à toi. C'est grâce à cette longue chaîne humaine que tu as pu choisir d'être chrétien. Elle continuera, malgré tous les obstacles !

Pourquoi Jésus a-t-il voulu prendre des disciples avec lui ?

À l'époque de Jésus, quand un élève était capable de commenter et de discuter tout seul la Torah (les cinq premiers livres de la Bible), son maître le déclarait Rabbi ou Maître à son tour. Mais avant d'enseigner, il était parfois le disciple d'un sage qu'il choisissait de suivre. Selon son exemple, il distribuait aux plus pauvres l'argent récolté à la synagogue. Il aidait une veuve à s'occuper de son bétail ou soignait les malades. Le sage réunissait ses disciples pour leur expliquer la Bible. Ils priaient et prenaient leurs repas ensemble, et ils mettaient leur argent en commun.

Ceux qui ont suivi Jésus ne ressemblent pas vraiment à ces disciples-là. D'abord, c'est Jésus lui-même qui les choisit et non l'inverse : Simon, André, Jacques et Jean les premiers. Ce ne sont pas des étudiants ou de futurs rabbis, mais des pêcheurs sur le lac de Galilée. Ensuite, Jésus ne leur apprend pas à expliquer la Torah, mais à vivre ce que Dieu dit. Enfin, parmi ceux qui le suivent, il y a un groupe de femmes, ce qui n'était pas habituel pour un sage à cette époque.

Jésus, lui, demande à ses disciples de renoncer désormais aux richesses, aux honneurs, à leur maison, et même à leur famille pour le suivre et vivre comme lui. Qu'ils soient le sel de la terre et la lumière du monde pour que chacun, en les voyant agir, découvre l'amour de Dieu.

Ce qu'ils ont vécu, vu, entendu avec Jésus, les disciples l'ont transmis à d'autres disciples pour qu'aujourd'hui, comme hier, la Bonne Nouvelle soit annoncée : « Heureux les doux, les cœurs purs, les assoiffés de justice et les artisans de paix, le Royaume de Dieu est à eux ! »

Si j'étais né en Inde,
est-ce que je serais chrétien ?

Max,

J'ai bien reçu ta longue lettre. Si tu étais né en Inde, serais-tu chrétien ? Pourquoi pas ? La religion à laquelle on croit ne dépend pas du pays où l'on se trouve ! Tu sais peut-être que Barthélemy et Thomas ont été les premiers apôtres à annoncer la Bonne Nouvelle en Inde, il y a presque deux mille ans.

Mais c'est vrai qu'ici, la plus grande partie de la population est hindoue, croit aux dieux Vishnu et Shiva et en de nombreux autres dieux. D'autres Indiens sont bouddhistes et suivent, eux, l'enseignement de Bouddha, qui vécut cinq siècles avant Jésus. Certains sont musulmans et respectent le Coran écrit par Mahomet. Mais il y a aussi des chrétiens. Ils sont peu nombreux. Ceux que je connais à Bombay accueillent les enfants de la rue… Tu vois, vivre la Bonne Nouvelle n'a pas de frontière et chacun peut l'entendre, croire, se faire baptiser.

Max, tu es chrétien parce que tes parents t'ont fait baptiser : mais c'est à toi de décider de vivre ou non en chrétien. Je sens bien dans ta lettre que tu réfléchis sérieusement à tout cela.

Ton parrain, Olivier

Pourquoi faut-il être baptisé pour être chrétien ?

Merci, René, d'être avec nous sur Radio 2000. Vous avez 26 ans et serez baptisé dans huit jours. Pourquoi ?

– Eh bien, je veux devenir chrétien, plonger dans la foi de l'Église !

– Depuis quand vous préparez-vous ?

– Depuis deux ans, avec mon parrain. J'ai déjà été accueilli par la communauté des chrétiens, et marqué de l'empreinte du Christ, le signe de croix.

– Racontez-nous comment va se dérouler le baptême.

– Nous écouterons l'Évangile. Puis le prêtre étendra ses mains sur ma tête pour appeler sur moi l'Esprit Saint. Après, nous affirmerons bien haut ce que nous croyons : que Dieu est notre Père, que le Christ est notre frère, et que l'Esprit Saint demeure en nous.

– Vous vous engagerez…

– Oui, mais c'est surtout le Christ qui s'engage pour moi ! Quand le prêtre fera couler l'eau du baptême sur moi, je serai plongé dans la mort et la vie du Christ, vous comprenez ? Il a touché le fond de notre existence et de notre mort, puis il a émergé dans une vie nouvelle donnée par Dieu. Il m'associe à cela : avec Jésus, le péché en moi est mort, et je ressors tout neuf, sauvé, aimé de Dieu.

– C'est indispensable pour être chrétien ?

– Oui. On peut toujours choisir Jésus comme modèle, mais le baptême nous unit à lui plus étroitement : on entre dans sa famille, on fait corps avec lui. On compte vraiment sur lui.

– Merci, René, pour ce témoignage. Quel est votre plus grand souhait ?

– Que la foi grandisse en moi, car le baptême, c'est un début ! Et que je la fasse découvrir à d'autres. Jésus a dit : « Allez chez les gens du monde entier, baptisez-les au nom du Père et du Fils et du Saint-Esprit. »

Que représentent le parrain et la marraine au baptême ?

Le jeune Étienne discute avec sa marraine, Stéphanie, sur le rôle qu'elle joue depuis son baptême.

– Toi, tu es ma marraine. Pas comme celle de Cendrillon, tu te souviens ? Elle avait des super-pouvoirs pour tout transformer. C'est quoi, en fait, une marraine ?

– Moi, je ne suis pas une fée ! Mais finalement c'est encore mieux, tu sais : le jour de ton baptême, j'ai accepté de t'aider à grandir comme chrétien.

– Et mes parents alors ?

– Les parents sont les premiers chargés de proposer la foi à leur enfant, en lui parlant de Jésus, en lui apprenant à prier, en l'inscrivant au catéchisme… Le parrain et la marraine, eux, peuvent les aider. Ils témoignent de la foi de la communauté de tous les chrétiens auprès du nouveau baptisé.

– Ils font quoi ?

– Ils l'accueillent. Toi, tu étais encore un bébé. Nous avons dit bien haut notre foi, comme des témoins, et nous t'avons promis notre aide pour découvrir le Christ.

– Et si j'avais été grand ?

– Tu aurais promis toi-même de suivre le Christ, et nous t'aurions aidé à te préparer. Même les adultes qui reçoivent le baptême ont un parrain ou une marraine !

– Qui offrent aussi des cadeaux ?

– C'est une façon de montrer qu'on aime son filleul. Mais ce n'est pas la seule.

– Toi, souvent, tu me téléphones.

– Oui. Je prie aussi pour toi.

– Ah ?

– Oui. Un filleul compte beaucoup pour son parrain et sa marraine.

– Et même pas besoin de baguette magique !

Que faire pour que ma profession de foi soit réussie ?

Ce sera une grande fête pour toi. Eh oui, tu vas vivre une belle fête de la foi chrétienne, comme l'a été ton baptême, et ensuite ta première communion.

Maintenant tu es grand, tu peux dire ce que tu penses et ce que tu crois. Tu vas donc dire à haute voix devant les chrétiens que tu appartiens à leur famille, que tu crois en Dieu et que tu veux continuer à découvrir le Père, le Fils et le Saint-Esprit. À ton baptême, tu étais un bébé. Maintenant, c'est à toi tout seul de proclamer ta foi. C'est une nouvelle étape dans ta vie de chrétien.

Alors cette fête, il faut bien la préparer. Choisis un beau cahier qui sera ton « livre de profession de foi ». Tu peux y faire des chapitres. Il y a le chapitre « Pratique » : qui inviter à la fête ? Où, quand la fête aura-t-elle lieu ?... Il y a aussi le cha-

pitre « Souvenirs » : interroge les membres de ta famille pour qu'ils te racontent leur profession de foi. Tu peux ensuite entamer le chapitre « Je crois ». Note tes réflexions, les paroles qui t'aident à découvrir Dieu, à être ami avec lui. N'oublie pas le chapitre « Prière » : c'est un joli coin où tu peux noter les prières que tu aimes, en inventer aussi. Il y a enfin le chapitre « Retraite », où tu inscris ce qui te marque dans ces journées de préparation. Fais-le signer par tes amis.

Le jour de ta profession de foi, vous serez tous ensemble, peut-être vêtus de blanc comme pour le baptême, portant un cierge. Cette lumière rappelle la victoire de Jésus sur la mort, fêtée pendant la nuit de Pâques. Elle est là aussi pour éclairer ton chemin de chrétien tout au long de ta vie. Bonne fête !

Pourquoi dit-on que les chrétiens, c'est l'Église ?

Il ne faut pas confondre l'église avec un petit é et l'Église avec un grand É.

Avec un petit é, l'église c'est le bâtiment où les chrétiens catholiques viennent prier Dieu et célébrer la messe ensemble. Pour prier, les musulmans vont à la mosquée, les juifs à la synagogue.

Mais que veut dire le mot église ? Il vient du grec *ekklésia* qui signifie assemblée.

L'Église, avec un grand É, commence à Jérusalem quand les apôtres et les disciples de Jésus rassemblés pour la fête de Pentecôte, soudainement inspirés par l'Esprit de Dieu, annoncent avec certitude à tout Israël : « Dieu l'a fait Christ, ce Jésus que vous avez crucifié. »

Vingt siècles plus tard, l'Église est bien l'ensemble des hommes, des femmes et des enfants, de tous les peuples et de toutes les nations qui croient que Jésus, le Christ, est vivant.

L'Église, c'est le peuple que Dieu appelle et rassemble. Dieu est présent et agit dans l'Église avec la coopération de tous les chrétiens. Chacun a sa place, chacun a la mission d'annoncer, même si c'est difficile, que Jésus est vivant et que Dieu aime tous les hommes.

Pourquoi dit-on que la messe est une fête alors que tout le monde y est sérieux ?

Léo rêve d'une messe où il y aurait toute sa famille et ses copains, avec des guitares, un synthétiseur, une batterie. Et même on y danserait ! Là, ce serait une vraie fête.

Ce n'est peut-être pas la seule façon de célébrer une belle messe. Mais Léo a raison de dire que la messe est une fête. Une fête, parce que Jésus est vivant. Il nous nourrit de sa Parole et de son Corps. Bien sûr, c'est un événement mystérieux. Pour comprendre, il faut vouloir comprendre, et il faut du temps. Mais il y a vraiment de quoi être joyeux ! Et on peut être joyeux ensemble dans le silence et le recueillement.

En Afrique, on chante, on danse à la messe ! En Europe, on est souvent plus silencieux, plus réservé… Mais on peut être sérieux et heureux !

Pourtant Léo trouve que chez lui les messes sont tristes. Les gens ont l'air habitués. Lui, il s'ennuie…

Et s'il en parlait à d'autres chrétiens, copains, parents, catéchistes, prêtres ? Peut-être ensemble pourraient-ils mieux accueillir les gens à l'entrée ? Apprendre de nouveaux chants ? Demander aux enfants d'être lecteurs, ou enfants de chœur, ou musiciens… ? Une vraie fête, cela se prépare ! On s'y prépare aussi soi-même. Si les chrétiens pensent à Jésus dans la semaine, ils sont plus heureux de le fêter le dimanche.

Pourquoi dit-on que le pain de la messe, c'est le corps du Christ ?

Lorsque les chrétiens, à la messe, tendent les mains pour recevoir la communion, le prêtre, en leur montrant le pain, leur dit : « Le corps du Christ. » Et ils répondent : « Amen », c'est-à-dire : c'est vrai, nous en sommes sûrs.

Tout a commencé la veille de la mort de Jésus, juste avant son arrestation, dans la soirée du Jeudi saint. Jésus avait réuni ses amis pour le repas de la grande fête juive de la Pâque, et il prononçait les belles prières habituelles, en offrant à Dieu ce qu'ils allaient manger et boire ensemble.

Et voilà que prenant entre ses mains un morceau de pain, comme on dit quelquefois qu'un homme prend sa vie en main, il le partagea et le tendit à ses amis en leur disant : « Prenez, mangez, c'est moi. » Dans la façon de parler d'alors, il dit : « C'est mon corps. » Il fit de même pour la coupe de vin, à la fin du repas : « Prenez et buvez-en tous, c'est mon sang, c'est ma vie. »

Ce n'est que plus tard, après que Jésus fut ressuscité, qu'ils comprirent ce qu'il avait voulu dire ce soir-là : sa vie, il ne l'avait pas gardée pour lui. Elle avait toujours été donnée, tout entière consacrée à Dieu et aux autres. Comme on dit de quelqu'un que sa vie est « mangée ».

Et même le lendemain, le Vendredi saint, quand tout le monde a l'impression qu'il est pris, en fait, c'est encore lui, Jésus, qui choisit de se donner jusque-là.

À la fin du repas, Jésus avait ajouté : « Faites cela en mémoire de moi. » Et depuis ce jour-là, les chrétiens refont les gestes et redisent les paroles de ce dernier repas de Jésus : c'est la messe.

Ils savent alors que le pain que le prêtre tient dans ses mains est vraiment le corps de Jésus, le Christ, et que la coupe qu'il leur donne, c'est vraiment son sang, sa vie. Pour nous, pour que nous communiions ainsi à la vie de Dieu.

Pourquoi les prêtres ne sont-ils pas mariés ?

Tout le monde ne se marie pas. Il y a des hommes et des femmes qui n'en ont jamais trouvé l'occasion ou qui ne le désirent pas. Il y en a aussi qui sont tellement pris par autre chose qu'il n'y a plus de place dans leur vie pour un mari, une femme, des enfants.

Jésus l'a fait remarquer : il y a des gens qui se passionnent à ce point pour Dieu et pour ce qu'il veut faire, qu'ils ne trouvent plus les moyens de penser au mariage. Et Jésus les admire. D'ailleurs, il a choisi lui-même de rester célibataire pour se consacrer à nous faire découvrir Dieu.

Dans les communautés religieuses, des hommes et des femmes choisissent de vivre dans le célibat, la pauvreté et l'obéissance, pour consacrer toute leur vie à la prière et au service des autres.

Depuis des siècles, chez nous, dans l'Église catholique en France et dans les pays occidentaux, les évêques ont choisi de n'embaucher comme prêtres que des hommes qui sont d'accord pour rester célibataires. Pour ces hommes, c'est une façon de montrer qu'ils veulent donner toute leur vie pour faire connaître l'Évangile et pour s'occuper des communautés chrétiennes. Évidemment, une telle décision, pour toute une vie, demande réflexion.

Mais d'autres Églises catholiques, en Orient par exemple, au Liban ou en Syrie, choisissent aussi leurs prêtres parmi des hommes mariés. L'important pour un prêtre, marié ou célibataire, c'est d'être capable d'aimer tous ceux qui lui sont confiés.

Mon père et ma mère sont pasteurs. Pourquoi chez les catholiques n'y a-t-il pas de femmes prêtres?

Il y a quelques années, on avait posé cette question au pape Jean-Paul II. Et il avait répondu que cela ne pourrait jamais se faire. Pas seulement parce que Jésus, à son époque, n'a choisi que des hommes comme apôtres, mais à cause du rôle du prêtre : il représente Jésus, il tient sa place. Or Jésus est un homme. Cette place doit donc être tenue par des hommes, qui donnent aux autres, au nom du Christ, sa parole et ses sacrements.

L'affection de Jésus pour la communauté de ses disciples, son Église, ressemble au mariage d'un homme et d'une femme. Les prêtres sont le signe que Jésus, aujourd'hui, continue d'être attentif à l'Église et à toute l'humanité, comme un mari pour sa femme. C'est d'ailleurs pour cela que les évêques ont un anneau, comme une alliance, comme s'ils étaient mariés avec leur Église.

Chez les protestants, c'est un peu différent. Les pasteurs ne sont pas toujours considérés comme des prêtres, tenant la place de Jésus, mais plutôt comme des chrétiens choisis par les autres pour les aider à vivre leur foi. Et ce n'est que tout récemment, au 20e siècle, que, après en avoir longuement discuté, certaines Églises protestantes ont commencé à avoir des femmes pasteurs.

Comment ça se passe pour devenir prêtre ?

Cher Tristan,

Merci de ta longue lettre et de toutes tes questions. En fait, c'est seulement dans cinq ans que, peut-être, je serai ordonné prêtre.

C'est vrai, il y a très longtemps que j'y pense. J'avais à peu près ton âge quand j'ai eu pour la première fois le sentiment très fort que Dieu m'appelait pour être au service des autres, comme prêtre. Depuis, j'ai beaucoup réfléchi et souvent prié pour y voir plus clair. D'autres m'ont aidé : un prêtre que je connais bien, des amis. J'en ai parlé avec mon évêque, car c'est lui qui devra décider s'il m'embauche comme prêtre.

J'ai quand même voulu terminer mes études d'ingénieur. Pour être plus libre de choisir : je ne veux pas me dire un jour que j'ai choisi de devenir prêtre parce que je ne savais rien faire d'autre. Et surtout pour mieux comprendre le monde d'aujourd'hui, les hommes et les femmes à qui j'aurai à parler de l'Évangile.

Depuis septembre, j'ai commencé une formation spéciale pour étudier la Bible, l'histoire de l'Église, les doctrines et les façons de vivre des chrétiens. À travers tout cela, j'apprends à mieux connaître le Seigneur qui m'appelle. J'apprends aussi à mieux prier.

Très important pour moi aussi : je vais chaque semaine à la paroisse Saint-Cyprien. Là je découvre plus concrètement ce que j'aurai à faire plus tard. Un peu comme les étudiants en médecine, qui font des stages dans les hôpitaux.

Tu vois : il y a du pain sur la planche !

Jean-Noël

À quoi servent les papes ?

Le pape est élu par les cardinaux comme évêque de Rome. C'est la ville où saint Pierre et saint Paul sont morts martyrs. Il est le successeur de Pierre, que Jésus avait choisi pour construire la première communauté chrétienne : «Tu es Pierre, lui avait dit Jésus, et sur cette pierre je bâtirai mon Église. » Le pape est donc le premier des évêques, comme saint Pierre était le premier des apôtres.

Alors, il ne s'occupe pas seulement des catholiques qui sont à Rome, mais il veille aussi sur tous les autres à travers le monde. Il réunit parfois autour de lui tous les autres évêques pour réfléchir ensemble : cela s'appelle un concile. De 1962 à 1965, le Concile Vatican II a réuni à Rome plus de deux mille évêques. Parfois aussi le pape écrit de grandes lettres à ses frères évêques : ce sont les encycliques. Mais souvent le pape préfère aller rencontrer sur place les chrétiens de tous les pays. Le pape Jean-Paul II a beaucoup voyagé, il est souvent venu en France.

Dans beaucoup de pays, c'est aussi le pape qui nomme les évêques. Son rôle est surtout de veiller à l'unité, à la communion de toutes les communautés à travers le monde. Un peu comme l'animateur d'une chorale, qui ne chante pas à la place de tout le monde, mais qui permet à chaque voix de bien chanter sa partition, pour l'harmonie de l'ensemble. Le grand souci du pape, c'est que l'Église soit toujours plus « catholique », c'est-à-dire vraiment universelle.

Quelle différence y a-t-il entre chrétien et catholique?

Les chrétiens, on pourrait dire les «christiens», sont les disciples de Jésus, le Christ. Parmi eux, certains sont catholiques. Être catholique, c'est notre façon à nous d'être chrétien. Mais il y a d'autres façons d'être chrétien, d'autres traditions chrétiennes. S'il y a des différences, c'est parce que, au cours de l'histoire, la famille des chrétiens a connu des conflits et des divisions.

Le mot «catholique» signifie universel. Il est dans le «Je crois en Dieu». Les chrétiens des premiers siècles proclamaient tous que l'Église est catholique, c'est-à-dire répandue dans le monde entier, pour tous les hommes.

Aujourd'hui ont gardé ce nom de «catholiques» les chrétiens qui reconnaissent l'autorité universelle du pape, successeur de saint Pierre comme évêque de Rome.

On appelle «orthodoxes» les chrétiens d'Orient qui se sont séparés de l'Église de Rome en 1054. Les «anglicans» forment l'Église d'Angleterre qui a rompu avec le pape sous le roi Henri VIII, en 1534.

Au 16e siècle, il y a eu aussi des cassures plus graves, quand certains chrétiens ont voulu rajeunir l'Église, la réformer. Protestant contre les abus, ils ont voulu ne s'appuyer que sur la Bible. À la suite d'hommes comme Luther ou Calvin sont nées alors les «Églises de la Réforme», appelées aussi «protestantes».

Aujourd'hui, les chrétiens des différentes Églises prient et réfléchissent ensemble pour parvenir un jour à l'unité : cela s'appelle l'œcuménisme.

Pourquoi
on s'offre des cadeaux à Noël?

C'est décidé : le prochain Noël sera « tout en cœur » chez Estelle.

« J'offrirai à Papa un marque-page avec des cœurs en ribambelle. À Maman, un cadre-cœur de dentelle. À mon frère, des cœurs-biscuits à la cannelle. Et à ma sœur, un petit cœur en pâte à sel. » Quant à elle, Estelle commande… une console de jeux, mais ce n'est pas obligé qu'elle soit en forme de cœur.

Estelle n'imaginerait pas Noël sans échange de cadeaux. Comme ce jour-là on est heureux, on a envie que les autres le soient aussi. On fête la naissance de Jésus. Pour les chrétiens, ce bébé est le Fils de Dieu. Il offre aux hommes tout l'amour de son Père.

On se retrouve en famille pour une messe très joyeuse, pour un bon repas, on pense à inviter les gens seuls. Et on s'offre des cadeaux, gros ou petits. Mais ils ne sont pas le plus important. Ce qui compte, c'est de se prouver qu'on pense les uns aux autres. C'est possible, même si on n'a pas de quoi acheter des cadeaux ou si on les a déjà échangés à la Saint-Nicolas.

En fait, bien avant les chrétiens, on s'offrait déjà des cadeaux en plein hiver. Avec la fête chrétienne, l'habitude est restée. Tant mieux ! Jésus aime qu'on donne du bonheur. Et lui-même est le don de Dieu.

Le plus merveilleux des cadeaux !

C'est quoi,
le Carême?

Le Carême, c'est quarante jours, du mercredi des Cendres à Pâques. Mais pour quoi faire? Pour se préparer à cette grande fête de Pâques. Pour les chrétiens, cela en vaut la peine!

Jésus avait passé quarante jours au désert pour préparer sa mission. Avant lui, le peuple d'Israël avait erré quarante ans dans le désert avant d'entrer dans la Terre promise. Au désert, seul l'essentiel compte. On se tourne plus facilement vers Dieu. Mais le mal peut aussi nous harceler, rien n'est là pour le cacher : Jésus lui-même a été tenté.

Notre Carême est comme un désert où nous mesurons tout ce qui est mal en nous, et nous le combattons pour arriver à mieux suivre Jésus.

Par quels moyens? En priant, seul ou ensemble; en partageant plus avec les autres, même s'il faut nous priver de choses auxquelles nous tenons. Ce n'est plus toujours «moi d'abord». C'est comme si nous dégagions de la place en nous-mêmes pour laisser l'Esprit Saint inspirer notre vie. Finalement, c'est un temps privilégié pour rencontrer Dieu et les autres.

Qu'est-ce que Pâques ?

Pâque, *pessah* en hébreu, veut dire passage. Pâques pour les chrétiens, c'est le passage de Jésus de la mort à la vie, sa résurrection.

À l'origine, Pâque, c'est une grande fête juive. Elle célèbre un événement très important : Dieu, comme il l'avait promis à Moïse, a libéré les Hébreux esclaves en Égypte. Alors, le premier soir de la Pâque juive, au cours d'un repas, chaque famille revit ce que ses ancêtres ont vécu. On partage un pain en deux en disant : « Voici le pain que nos ancêtres ont mangé en Égypte. Quiconque a faim, qu'il vienne manger, et célébrer la Pâque avec nous… » En buvant aussi quatre coupes de vin durant le repas, on célèbre cette libération.

Le jeudi soir, juste avant son arrestation, Jésus lui aussi a partagé avec ses apôtres le pain et le vin. Il a donné un autre sens à ce geste en disant : « Prenez et mangez-en tous : ceci est mon corps livré pour vous. » Ensuite, il a tendu une coupe de vin : « Prenez et buvez-en tous car ceci est la coupe de mon sang, le sang de l'alliance nouvelle… », celle de Dieu et de tous les hommes.

Dans la nuit de ce jeudi-là, Jésus est arrêté, jugé et condamné à mort. Il est crucifié le vendredi. Mais le premier jour de la semaine selon le calendrier juif, dimanche pour nous, Jésus « passe » de la mort à la vie de Dieu. Il est vivant, Dieu l'a ressuscité.

En souvenir de ce dernier repas, de la mort et de la résurrection de Jésus, les chrétiens revivent cette nouvelle Pâque à chaque messe, et ils la célèbrent comme la plus belle de toutes les fêtes une fois par an.

Pourquoi va-t-on au cimetière à la Toussaint ?

Le 9 novembre

Chère Mamie,

La semaine dernière, c'était le 1er novembre. Je n'avais pas école, parce que c'était la Toussaint. Le matin, je suis allé à la messe, et le prêtre a parlé de tous les saints, les connus et les inconnus. Il a dit aussi qu'on était tous appelés à devenir des saints. Ça m'a fait tout drôle ! Moi, j'ai pensé à saint Sébastien, car j'ai le même prénom que lui. C'était un soldat de l'armée romaine, et l'empereur l'a fait mourir parce qu'il était chrétien.

Après, on est allé au cimetière, là où Papy est enterré. Maman a dit une prière pour que lui aussi soit tout près de Dieu, comme les saints. Et puis, j'ai pensé aux bons moments que j'ai passés avec Papy. Ce que je préférais, c'est quand il m'emmenait cueillir les champignons dans la forêt.

J'ai bien fait comme tu m'as demandé. J'ai cueilli des fleurs dans le jardin et je les ai posées de ta part sur la tombe. Comme ça, c'est comme si tu étais venue. Je sais que tu es triste parce qu'il n'est plus avec toi. Il me manque à moi aussi.

Je t'envoie un gros baiser.

Sébastien

Une année de fêtes

Un calendrier rythmé

Nous, les chrétiens, fêtons chaque année un très grand événement : la résurrection de Jésus, à Pâques. Mais nous avons aussi d'autres fêtes. Grâce à elles, nous nous rappelons les grands moments de la vie de Jésus et de ses disciples.

Noël, le 25 décembre

Cette fête célèbre la naissance de Jésus. Jésus, c'est le Fils de Dieu qui se fait homme et devient tout proche de nous ! Nous préparons cette fête pendant quatre semaines : c'est l'Avent.

L'Épiphanie, le Ier dimanche après le Ier janvier

Épiphanie vient d'un mot grec qui veut dire « se montrer, se manifester ». Le jour de l'Épiphanie, nous fêtons ce moment où des savants étrangers, les mages, viennent à Bethléem adorer Jésus enfant. Ils découvrent que Jésus est leur sauveur. Cela montre que Jésus vient pour le monde entier.

Pâques, un dimanche de mars ou d'avril

Le jour de Pâques, nous célébrons Jésus le Christ sorti de la mort, ressuscité. Nous sommes tous appelés à ressusciter à sa suite. Pour les chrétiens, c'est Pâques pendant 50 jours, jusqu'à la Pentecôte. Ils célèbrent aussi la résurrection de Jésus chaque dimanche : c'est le « jour du Seigneur ». Et pendant 40 jours, ils se préparent à Pâques par la prière et le partage : c'est le Carême. Le Carême s'achève par la Semaine sainte où nous rappelons les derniers jours de Jésus, son dernier repas, son procès, sa mort sur la croix.

L'Ascension, 40 jours après Pâques, un jeudi

Les chrétiens célèbrent ce jour-là l'entrée de Jésus dans la gloire de Dieu et la fin du temps où Jésus ressuscité a pu être rencontré par ses disciples.

Une année de fêtes

La Pentecôte, 50 jours après Pâques, un dimanche

Le jour de la Pentecôte, où les juifs fêtaient le don de la Loi par Dieu à Moïse, les chrétiens célèbrent le don du Saint-Esprit par Jésus à ses apôtres.

Grâce à l'Esprit Saint, ils ont le courage d'annoncer dans le monde entier Jésus ressuscité, Christ et Seigneur. C'est la naissance de l'Église.

L'Assomption, le 15 août

Nous fêtons l'entrée de Marie, la mère de Dieu, dans la vie sans fin avec Dieu.

La Toussaint, le 1er novembre

Nous fêtons tous les saints de tous les temps. Ce sont les hommes et les femmes, connus ou inconnus, d'hier ou d'aujourd'hui, qui vivent en amitié avec Dieu. Ils nous montrent le chemin du bonheur, ils nous aident à marcher sur les pas de Dieu.

Comment doit-on faire
pour devenir religieuse ?

Un jour, les disciples ont demandé à Jésus : « À quoi ressemble le Royaume de Dieu ? » Jésus leur a répondu : « Il ressemble à un trésor caché dans un champ. Un homme le découvre. Il est fou de joie ! Alors il vend tout ce qu'il a et il achète le champ. »

Les religieux et les religieuses ressemblent à cet homme. Ils sont tellement éblouis d'avoir rencontré Dieu dans leur vie qu'ils décident de tout offrir pour mieux le servir et le connaître.

Religieuse, ce n'est pas un métier. On ne le devient pas comme on devient aviateur ou boulanger, avec un diplôme et une petite annonce dans le journal ! On ne devient pas religieuse du jour au lendemain. Au contraire, cela prend beaucoup de temps : le temps de comprendre l'appel de Dieu, puis d'y répondre quand on se sent vraiment prête. Pour certaines, cela peut prendre des années avant de se décider !

Et puis, il y a des étapes : on passe un an ou deux dans une communauté religieuse, on se fait aider par un religieux ou une religieuse plus âgé et plus expérimenté avec qui on réfléchit sur l'évangile et sur soi-même. Ensuite, si on est décidée, on peut alors s'engager plus solennellement. Une autre vie commence !

Comment se passe la vie des religieuses dans un monastère ?

Monastère de la Visitation,
le 20 juillet

Chère Stéphanie,

Merci de ta lettre et des nouvelles fraîches de la famille. Tu me demandes comment se passe ma vie ici, au monastère ? Difficile de te répondre en quelques lignes : il faudrait que tu viennes voir par toi-même ! Je pourrais te donner mon emploi du temps, heure par heure, comme à l'école, mais cela te paraîtrait sûrement ennuyeux : lever, prière, repas, travail, prière, repas, lecture, prière…

C'est vrai que mes journées se déroulent toutes un peu de la même manière, mais c'est ce qui me permet de réaliser mon plus grand souhait : offrir tout mon temps à Dieu, et centrer ma vie sur lui. J'ai besoin de lui dire merci, et de chercher à le connaître. Toute seule, ou bien avec les autres religieuses, je lui parle, je l'écoute, je le prie pour tous les hommes et les femmes qui en ont besoin. Je suis sûre que toutes ces prières réunies ont de la force et peuvent aider ceux à qui nous pensons.

Tu vois, ma vie est simple, éloignée du monde, et pourtant je ne me suis jamais sentie aussi proche de chacun.

En tout cas, si ta curiosité n'est pas éteinte, il ne te reste qu'une chose à faire : venir nous voir au monastère ! Tu sais, Stéphanie, notre porte t'est toujours ouverte.

Christine

Chapitre 9

Le poison
du mal

La vie est parfois cruelle, pourquoi Dieu ne fait rien ?

Attentats, famines, accidents, malheurs, morts, tu ressens tout cela dans ton cœur, tu souffres, tu ne comprends pas pourquoi nous n'arrivons pas à être plus heureux.

Ta révolte, beaucoup d'hommes la partagent. Certains pensent que c'est la preuve de l'impuissance ou de l'inexistence de Dieu. D'autres se disent que le mal est peut-être une épreuve que Dieu nous envoie.

Les chrétiens ne sont pas d'accord avec ces explications. Comment imaginer un Dieu cruel, heureux de nous voir malheureux ?

Si Dieu n'intervient pas directement pour supprimer les déchirures du monde, ni pour empêcher les hommes de se tuer entre eux, c'est parce que dès le début de la création, Dieu a décidé de donner à l'homme d'être libre et responsable de ce qu'il fait.

Cela ne veut pas dire que Dieu ne fait rien, mais il le fait à sa manière. Il redonne confiance à ceux qui désespèrent devant le mal et la souffrance pour qu'ils trouvent le goût de vivre et de changer les choses. Il permet à celui qui a fait le mal d'avoir le désir de changer et il lui donne d'entendre au fond de son cœur qu'il est prêt à lui pardonner.

Il t'appelle, toi et tous ceux qui veulent embellir le monde, à pourchasser les méchancetés et à réparer le malheur. Car Dieu aime ton regard et cette indignation que tu ressens. Il est prêt à t'accompagner pour lutter contre la souffrance. C'est sa manière à lui d'agir, en étant à tes côtés. Mais cette expérience du malheur et de l'éloignement apparent de Dieu restera sans doute une question tout au long de ta vie.

Pourquoi Dieu qui est parfait a-t-il donné à tous le choix d'être bon ou mauvais ?

« **M**esdames, messieurs, ce soir, moi, Dieu, je vous invite au spectacle du Théâtre de la vie !

Voici les acteurs : les hommes et les femmes de ma terre. Regardez comme ils s'aiment ! Celui-là qui va secourir son prochain ! celui-ci, comme il a l'air bon ! Normal, c'est moi qui les commande. Allez, trois petits tours et puis s'en vont ! »

Brrr… Ce serait horrible si la vie se passait comme ça : tu imagines un Dieu qui dirigerait tous les mouvements des hommes, ses automates obéissants, et les obligerait à faire ce que bon lui semble ? Heureusement, Dieu ne ressemble pas du tout à cela et nous non plus. Dieu nous aime à la folie. Et il nous fait un cadeau incroyable : il nous crée libres de choisir notre vie. Il prend le risque de nous faire confiance. Il le fait parce qu'il pense que nous sommes capables du meilleur.

Et si on ne trouvait pas le bon chemin ? Si on avait envie d'aller voir à côté ce qui se passe ? Bien sûr, on ne connaît pas grand-chose du chemin : où sont les obstacles ? et les coins tranquilles ? Une chose est sûre : au bout du chemin, on a rendez vous avec les autres et avec Dieu. Cela vaut le coup de se lancer, non ?

C'est quoi, un péché ?

« **U**n homme avait deux fils. Le plus jeune dit à son père : donne-moi ma part d'héritage. Et il part pour un pays lointain où il dépense tout son argent.

Il y a alors une grande famine dans le pays. Comme il n'a plus rien, il se fait embaucher dans une ferme pour garder les cochons dans les champs. Mais il se dit en lui-même : combien d'ouvriers de mon père mangent du pain en abondance, alors que moi, ici, je meurs de faim. Je veux partir, retourner vers mon père et lui dire : Père, j'ai péché contre le Ciel et contre toi. Je ne mérite plus d'être appelé ton fils, traite-moi comme un de tes ouvriers… »

Pour que l'on comprenne ce qu'il enseigne, Jésus se sert de courts récits, de paraboles. Et si, avec cette parabole, il voulait nous faire comprendre ce que c'est qu'un péché ?

Pécher, c'est partir loin de Dieu. La façon dont nous nous comportons avec les autres, ce que nous leur disons, ce que nous pensons d'eux ou notre façon d'agir envers eux peuvent aussi nous éloigner de Dieu. Entre Dieu et les hommes, il y a toujours une alliance sans cesse renouvelée, comme un lien d'amour. Pécher, c'est rompre cette alliance, c'est casser ce lien.

Le fils, dans cette parabole, revient vers son père, et dès que son père l'aperçoit au loin sur le chemin, il court pour l'embrasser. Comme un père toujours prêt à aimer, Dieu accueille comme un fils celui qui sait dire : « Mon Dieu, j'ai péché et je reviens vers toi. »

Pourquoi y a-t-il des gens qui roulent sur l'or et d'autres qui meurent de faim ?

Antoine vit en France. Ses parents sont au chômage, ils vont devoir quitter leur logement devenu trop cher. Son voisin en classe, Bastien, a beaucoup de chance. Son père vient de lui offrir un ordinateur avec un lecteur de CD-Rom.

Au Niger, Fati ne mange qu'une fois par jour. Amina, elle, a des parents très riches, qui viennent d'acheter un nouveau réfrigérateur.

Partout dans le monde, dans les pays riches comme dans les pays pauvres, il y a des gens qui n'ont rien à manger, et d'autres qui roulent sur l'or. C'est vraiment injuste, révoltant, scandaleux. On peut trouver des raisons pour expliquer ces inégalités.

Dans certains pays la terre est impossible à cultiver, comme les pays de déserts.

Dans d'autres pays, la guerre fait rage.

Mais il y a aussi depuis toujours des gens qui s'enrichissent en exploitant les autres comme des esclaves. Il y a des hommes qui refusent de partager ce qu'ils ont.

La terre, personne ne peut la garder pour soi. Elle appartient à tous. Dieu l'a confiée aux hommes pour qu'ils la soignent et la transforment en l'embellissant. On est ainsi capable de transformer la terre en paradis ou en enfer, de tout faire pour bien vivre ensemble, comme de laisser se développer la misère et la guerre.

Jésus, à la suite des prophètes, nous met en garde contre l'injustice. Il nous invite à partager avec ceux qui ont soif et faim, à lutter contre les malheurs, à notre manière.

Est-ce que Dieu pardonne
à ceux qui tuent des gens ?

Chaque jour, à la télévision, tu peux voir, dans des séries policières ou des dessins animés, des gens tuer et se faire tuer. Comme ce n'est que « du cinéma », on peut trouver cela banal. Mais si tu apprends au journal de 20 heures qu'un homme a tué toute sa famille, ou bien qu'un écolier a tiré sur un garçon de sa classe, c'est différent. Tu sais que c'est vrai et que c'est terrible. Parce que tuer, c'est impossible à réparer. La vie est coupée, détruite.

Est-ce que Dieu peut pardonner cela ? On aurait envie de dire « NON, sûrement pas ! », car on a soif de justice. Celui qui a osé détruire la vie d'un homme mérite que Dieu le rejette, non ? C'est souvent comme cela qu'on réagit. Mais nous croyons que Dieu a une puissance d'amour qui nous dépasse infiniment.

Alors sûrement Dieu pardonne à celui qui a tué et qui demande pardon.

Pardonner, c'est donner une autre chance à celui qui a fait le mal. C'est lui offrir une possibilité de changer. Cela ne veut pas dire que tout est oublié, effacé comme la craie du tableau qui disparaît d'un coup d'éponge. Non, un tel geste ne s'oublie pas et il est lourd à porter. Et peut-être que Dieu sait aussi pardonner à ceux qui ne regrettent rien, qui ont la tête malade ? Quand l'homme n'a pas la force de pardonner, Dieu, lui, est là.

Si Dieu a créé l'homme à son image, pourquoi sommes-nous tous un peu méchants ?

Si Dieu a créé l'homme à son image et que nous sommes tous un peu méchants, alors c'est que Dieu est méchant ! Ou bien, que l'homme méchant n'est pas l'image de Dieu ! Que c'est compliqué à comprendre…

De toutes les créatures, seul l'homme est capable de connaître Dieu et d'aimer. C'est cela, être créé à l'image de Dieu.

Si les hommes sont tous un peu méchants, c'est qu'ils oublient ce pour quoi ils ont été créés. Ils vont dans le sens inverse de celui de la création : au lieu de s'aimer, ils se détestent ; au lieu de cher-cher Dieu, ils lui tournent le dos. Au lieu d'être images de Dieu, c'est-à-dire témoins de la présence de Dieu en eux, ils agissent comme si Dieu n'existait pas…

Nous n'avons pas été créés méchants ; nous ne sommes pas nés avec plein de petites cellules de méchanceté dans la tête.

Mais il est tellement plus facile de ne penser qu'à soi. Quand nous choisissons d'être égoïstes et méchants, nous en sommes responsables. Et à chaque fois, c'est un peu comme si nous déformions ce qui en nous est image de Dieu : l'amour.

Les guerres et les tremblements de terre, est-ce Dieu qui est en colère contre les hommes ?

En 1755, le grand tremblement de terre de Lisbonne fait des milliers de morts. Les savants et les penseurs se disputent pour savoir quelle peut être l'origine d'une telle catastrophe. Comment est-elle conciliable avec la bonté du créateur ? Est-ce Dieu qui se met en colère contre les hommes ?

Mais à cette époque, encore beaucoup de gens croient que des événements comme ceux-là sont des punitions. Alors que ce sont des phénomènes naturels. On sait aujourd'hui que lorsque les plaques terrestres entrent en collision, elles glissent l'une sur l'autre. Il arrive aussi qu'elles se bloquent et provoquent des tremblements de terre.

Ce ne sont donc pas des punitions de Dieu, mais des phénomènes naturels. Aujourd'hui, on essaie de plus en plus de prévoir les catastrophes naturelles, en délimitant les régions où elles risquent de se produire.

Le 6 août 1945, pendant la Deuxième Guerre mondiale, les Américains lancent une bombe atomique sur la ville d'Hiroshima, au Japon, contre lequel ils sont en guerre. Il y a plus de cent mille morts. Qui est responsable ? Dieu ? Certainement pas !

Dieu n'a jamais demandé aux hommes de se faire la guerre, même si parfois, pour excuser leurs actes de violence, certains affirment agir au nom de Dieu.

Dieu est un Dieu d'amour et ce serait contraire à l'Évangile de l'imaginer, comme dans les légendes anciennes, en justicier toujours prêt à se venger. Alors, si nous ne pouvons pas contrôler totalement les tremblements de terre, nous pouvons sans cesse lutter pour construire la paix.

Si Dieu aime tout le monde, y a-t-il des gens qui vont en enfer?

Dieu, parfois, quand je pense à toi,
je te trouve incroyable.
C'est fou d'aimer tous les hommes,
même les méchants, même ceux qui sont cruels.
C'est fou de nous aimer gratuitement.
En échange, qu'est-ce que tu nous demandes?
Rien. Sauf d'aimer les autres comme toi tu les aimes.
Facile à dire! Remarque, tu n'obliges personne.
Si on n'est pas d'accord, si on veut détester les autres,
si on veut faire souffrir les autres, on le peut, on en est bien capable.
Du coup, les hommes sont parfois méchants ou cruels.
C'est parce que tu nous laisses libres, Dieu, que tout le mal existe.
Ceux qui refusent l'amour prennent un risque.
Ils se mettent dans une situation impossible.
C'est peut-être cela, l'enfer.
Ce n'est pas un endroit,
mais plutôt cette situation sans issue de secours.
Y a-t-il des gens qui s'enferment
dans cet enfer complètement?
Dieu, toi seul le sais.

Pourquoi Judas a-t-il trahi Jésus ?

C'est lui qui a indiqué aux autorités juives où on pouvait facilement arrêter Jésus : la nuit, au jardin des Oliviers. Et c'est lui qui l'a désigné aux soldats, en l'embrassant. Pour le prix de cette trahison, Judas aurait reçu trente pièces d'argent.

Pour l'Évangile de Jean, c'est là l'explication : Judas s'est fait acheter. D'ailleurs, chargé de l'argent de la communauté, il volait en prétendant donner aux pauvres.

Certains pensent plutôt que Judas avait été déçu par Jésus. Car il était peut être partisan d'une révolution violente. Le refus par Jésus d'être proclamé roi et de prendre la tête d'un mouvement politique de libération a pu le scandaliser.

Quoi qu'il en soit des raisons profondes de Judas, une chose est sûre : il était libre. Comme tous les autres, qui ont choisi, qui ont pris parti pour ou contre Jésus. Et comme Jésus lui-même, qui avait pris le risque de choisir Judas comme apôtre.

Plus tard, les chrétiens, scandalisés par cette trahison, ont cherché dans les Écritures juives des textes qui pourraient bien faire penser à l'avance au geste de Judas ; par exemple, dans les Psaumes : « Même l'ami sur qui je comptais, et qui partageait mon pain, a levé le talon sur moi. » Non pas pour dire que Judas était comme programmé pour trahir, ou qu'il était seulement comme l'acteur qui joue un rôle dans une pièce de théâtre écrite par un autre. Mais ils affirmaient très fort que même de cette trahison dramatique, Dieu a pu faire sortir quelque chose d'encore plus impressionnant. Car, finalement, l'arrestation de Jésus et sa mise à mort nous ont appris jusqu'où il était prêt à aller pour nous montrer qu'il tient à nous.

Quand je triche, je ne sais pas si Dieu me le pardonnera.

Petit dialogue entre Léa et Dieu :

— Dieu, je peux te parler ?

— Bien sûr, Léa.

— J'ai comme un nœud dans le ventre.

— Pourquoi donc ?

— Je ne suis pas très bonne en maths. On avait un contrôle sur les tables de multiplication, et j'ai copié sur ma voisine. J'ai eu 10/10.

— C'est ce que tu voulais !

— Pas vraiment. La maîtresse m'a félicitée, j'avais honte. En plus, ma voisine avait révisé, et elle a eu 7. J'ai menti à la maîtresse, à mes copains, et je me suis menti à moi-même… parce que je suis toujours nulle en multiplication ! Alors, puisque j'ai trahi mes copains, je t'ai trahi toi aussi ?

— Oui. Car ce que tu fais aux autres, c'est aussi à moi que tu le fais.

— C'est ça, un péché, non ? Pfff… Je suis vraiment nulle…

— Léa, tu sais, je t'aime toujours.

— Si je te demandais pardon, tu m'écouterais ?

— Bien sûr ! Je sais que ce pardon, tu le veux vraiment. J'ai confiance en toi. Comme Jésus te le demande dans l'Évangile, je suis prêt à te pardonner soixante-dix fois sept fois. Cela fait combien, d'ailleurs ?

— Je ne sais pas, mais ça fait sûrement beaucoup ! Je me sens légère ! Merci !

— Mais n'oublie pas, Léa : je te pardonne. Tu vas essayer de changer, j'en suis sûr.

— Promis !

Pourquoi ne peut-on pas aimer tout le monde?

Elsa est en CM1. Elle a une grande amie, et des copains. Il y a quatre élèves à qui elle ne parle pas souvent, et une fille, Marion, qu'elle ne peut pas supporter. Cette fille est jalouse. Le jour où le beau blouson neuf d'Elsa est tombé du portemanteau, Marion a fait exprès de marcher dessus avec sa semelle sale. Elsa voudrait bien aimer tout le monde mais, là, elle n'y arrive pas !

C'est normal que certaines personnes nous déplaisent. On ne peut pas se forcer à les trouver sympathiques ! Nous avons nos goûts à nous. Et c'est normal d'avoir des amis préférés. Jésus aussi a eu des amis.

Mais aimer les autres à la manière de Jésus, cela veut dire autre chose. C'est leur vouloir du bien et aussi leur faire du bien, parce qu'ils sont enfants de Dieu comme nous. Même si eux nous veulent du mal et nous font du mal…

Agissons comme Jésus. Lui, il fait attention à tous ceux qu'il rencontre. Il écoute même les plus méprisables. Il pardonne à ceux qui lui font du mal. Il prie pour tous. Jésus nous apprend à aimer sans mesure.

Comment arrêter
mes grosses colères ?

J'en ai marre de tout, des autres et de vous.
Je voudrais tout casser, tout envoyer voler,
que ça fasse du bruit et que ça fasse mal.
Arrêtez tout ! J'existe ! Et je veux qu'on le sache !
J'en ai MAAAAARRRRRRRE !
Ça y est, c'est reparti, j'ai craqué, explosé…
Comme une cocotte-minute, comme un feu d'artifice.
Maintenant, je m'en veux, mais je n'y peux plus rien.
Pourquoi ? Pourquoi ? Pourquoi ? Eh bien, je ne sais pas.
Ma colère est sortie comme ça, d'un seul coup.
Je n'avais plus de mots pour dire que c'était trop.
Alors j'ai pris mes mots et je les ai criés.
Ah, c'est si dur parfois de dire ce qu'on veut dire,
Quand les autres n'écoutent pas, quand les autres ne voient pas.
Bien sûr, que c'était trop : j'ai trop crié, trop fort.
Dans ces moments-là, je ne peux plus penser.
Mais la prochaine fois, ce sera différent.
C'est promis, c'est juré, c'est sûr, c'est décidé
Oui, la prochaine fois, je prendrai bien mon temps,
J'écouterai les autres, je respirerai fort,
Je choisirai mes mots et je les leur dirai.
S'il y a un problème ? Je fermerai les yeux.
S'il y en a un autre ? J'essaierai de comprendre.
Je dirai calmement, doucement, mon avis.
Si, si, j'en suis capable !
Non, non, je ne craquerai pas, même si vous le croyez.
On parie ?

Que faut-il faire pour aider ceux qui meurent de froid en hiver?

Lundi 3 décembre. Dehors, il neige. Je viens de rentrer du collège. Je suis enfoncée dans le canapé, un bol de chocolat chaud dans les mains.

Dehors, en bas de chez moi, il y a une femme enroulée dans une couverture. Je ne connais ni son nom ni son âge. Je la vois souvent. Elle a toujours la tête baissée, et la main tendue. Je ne sais jamais quoi faire. Avant, je détournais la tête. Maintenant j'ai honte. Alors je lui souris. Mais qu'est-ce que ça change dans sa vie? Qu'est-ce que je peux faire, moi, pour l'aider?

Quand j'étais petite, je voulais être médecin, et travailler pour Médecins Sans Frontières. Sans doute je ne serai ni médecin, ni milliardaire et encore moins Président de la République.

L'autre jour, au supermarché, des gens collectaient des aliments pour les sans-abri. Je leur ai donné du riz et du lait. Je suis sûre que ça servira. Je sais que certains font tout pour trouver des solutions.

L'hiver, dans les grandes villes, des camionnettes recherchent les gens qui dorment dehors pour leur proposer un endroit où manger et dormir. Des associations, des hommes politiques réfléchissent pour aider ceux qui n'ont pas de logement. Ça me rassure un peu.

Bon, moi, je crois que demain, en sortant, je vais discuter avec elle. Peut-être juste lui dire bonjour, pour commencer…

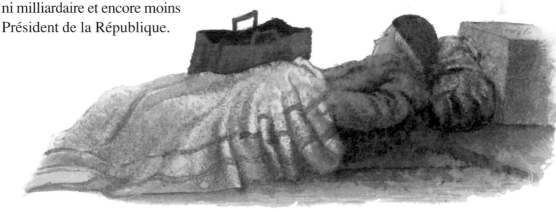

Chapitre 10

La mort, et après ?

Qu'est-ce qui m'arrivera quand je serai morte ?

Quand tu seras morte, Sophie, tu n'existeras plus comme aujourd'hui : tu existeras encore, mais autrement. Dans un autre monde, inconnu. La mort est comme un passage.

Quand tu n'étais pas encore née, et que tu étais tout contre le cœur de ta maman, tu existais déjà. Et puis, tu as effectué un premier passage, tu es venue dans ce monde, nouveau pour toi. Tu avais sagement attendu d'être prête pour venir parmi nous. La mort, qui nous fait peur, est aussi comme une nouvelle naissance.

Nous voudrions bien savoir comment c'est de l'autre côté. Il y a des gens qui ont failli mourir, dans un accident ou une grave maladie. Parfois même on les a crus morts, avant de les réanimer, de les ramener à cette vie. Plusieurs ont décrit leurs impressions : ils ont cru voir comme un grand tunnel, avec une lumière tout au bout. Mais personne de vraiment mort n'est venu nous raconter. Alors on ne peut pas encore savoir comment on sera.

Mais Jésus nous a dit que Dieu tient très fort à chacun de ses enfants. Quand nous aurons fini de vivre, Dieu nous accueillera. Comme un père qu'on retrouve au soir d'une journée. Et même il nous aidera à faire la lumière sur toute notre vie : ce qui a été bien et ce qui a été mal. Et nous comprendrons dans ses bras qu'il ne nous en veut pas.

Est-ce qu'on peut avoir plusieurs vies ?

C'est tellement court, la vie, cela passe tellement vite ! Il nous faudrait une vie pour être cosmonaute, explorateur ou pape, et une autre pour habiter à la campagne, au milieu des animaux, avec plein d'enfants. Et, quand on a raté quelque chose d'important, dans son métier ou dans sa famille, on aimerait pouvoir tout recommencer à zéro.

Seulement voilà : chacun de nous n'a qu'une seule vie. Lorsque nous sommes nés, nous étions tout neufs : pas d'occasion, pas recyclés ! Nous n'avions jamais existé ailleurs ou autrement. Parmi les milliards d'hommes et de femmes qui sont passés sur cette terre, aucun n'a été nous. Et nous ne serons jamais quelqu'un d'autre. Alors, cette vie unique, et chacun de ses moments qui ne reviendront pas, il ne faut pas les gâcher.

Il y a, dans d'autres religions, des gens qui pensent qu'on peut se réincarner plusieurs fois, dans une autre existence, avec un autre corps, même dans un animal, jusqu'à ce qu'on devienne enfin le meilleur possible. Mais nous savons que notre corps, c'est vraiment nous-mêmes, et pas un déguisement, ou un masque, qu'on pourrait changer. Le visage de quelqu'un, son sourire, c'est vraiment lui.

Nous ne pouvons donc pas avoir plusieurs vies successives. Mais l'existence que Dieu nous a donnée est éternelle : maintenant que nous existons, c'est pour toujours.

Est-ce qu'au paradis tout le monde a le même âge ?

Si tout le monde a le même âge, c'est quel âge ? Est-ce que le paradis ressemble plutôt à un grand jardin d'enfants ? Ou à une maison de retraite pour les gens très âgés ?

Non, en fait, l'âge, c'est valable seulement pour cette vie. Dans cette vie, nous comptons les jours, les mois, les années qui se succèdent. Mais sans doute que dans l'autre monde, au paradis, l'âge ne voudra plus rien dire. Il n'y aura plus un temps à mesurer. Il n'y aura plus des adultes et des enfants. Nous serons tous réunis en Dieu. Et pour lui, nous comptons tous autant.

Jésus nous a promis que nous ressusciterons. Mais notre corps ne sera plus une chose fragile qui se fatigue ou tombe malade. Nous utiliserons toute notre énergie pour rencontrer les autres. Nous saurons mieux les voir, les entendre, leur parler. Nous serons mystérieusement transformés. Ce sera notre corps à nous, mais il vivra d'une vie nouvelle. Quelle fête nous découvrirons !

Mais personne n'est renseigné sur le paradis. Comment ce sera ? De quoi aurons-nous l'air ? C'est un mystère. Une seule chose est sûre : Dieu nous invitera tout entiers à partager tous ensemble sa joie. C'est l'essentiel !

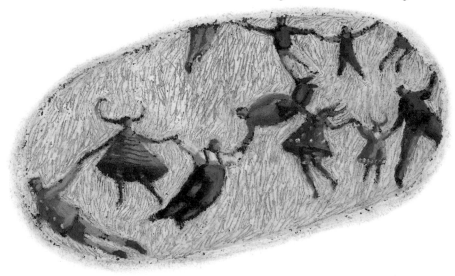

Ma grand-mère est morte. Mon grand-père vient de mourir. Se sont-ils retrouvés ?

Cher Grand-Père,

Tu es mort il y a trois jours mais, tu vois, tu me manques déjà. Alors je t'écris ce petit mot, comme tous les dimanches soir. Je me souviens bien quand Grand-Mère est morte, il y a quatre ans. J'avais huit ans. Tu es devenu plus vieux, tout d'un coup. Je me souviens comme tu essayais de sourire quand même.

Je me souviens comme tu t'es mis à bichonner les plantes de Grand-Mère. Toi qui te faisais toujours gronder par Grand-Mère parce que tu les oubliais !

Aujourd'hui, je me sens perdue. Bon, bien sûr, il y a Dieu. Je crois qu'il prend soin de toi, comme il a pris soin de Grand-Mère avant. Je suis sûre que dans ta nouvelle vie auprès de Dieu, tu as retrouvé Grand-Mère. Je ne peux pas imaginer que ça se passe autrement : vous vous aimiez tellement.

Je crois que l'amour ne passera jamais, qu'il dépasse la mort. Qu'est-ce que vous vous racontez avec Grand-Mère ? Des histoires des petits-enfants ? À l'occasion, dites à Dieu que j'ai confiance en lui. Même si je trouve ça dur de penser que tu n'ouvriras pas cette lettre. En tout cas, tu peux dire à Grand-Mère qu'elle ne se fasse pas de souci pour ses plantes. Enfin, pour vos plantes. Je les ai prises chez moi, je m'en occupe.

Grand-Père, je pense à vous deux très fort,

Ta petite-fille

Peut-on communiquer
avec les morts ?

Super-scoop : nous avons pu enregistrer les murmures du fantôme qui hante le château de Ghostburgh ! » « Témoignage exclusif pour notre émission : cette mère voit apparaître sur son écran de TV le visage de sa fille morte ! » « En direct de l'au-delà : en faisant tourner cette table, nos invités vont entrer en contact avec l'esprit de Napoléon ! »

Tout cela, ce sont des histoires. Des illusions, ou même de l'escroquerie. Nous ne pouvons pas atteindre les morts, ni leur parler. Aucune technique ne nous le permettra jamais. Car les morts ne sont plus de notre monde à nous. Ils n'ont plus de gestes ou une voix comme nous. Ils ne sont même pas « dans un endroit ».

Pourtant, nous croyons qu'ils existent, d'une manière impossible à imaginer. Nous croyons qu'ils sont en Dieu. Par Lui, nous sommes reliés à eux. Nous pouvons prier Dieu pour eux, et avec eux. C'est ce que les chrétiens appellent la communion des saints. Ainsi, nous croyons qu'ils sont proches de nous, malgré leur disparition et leur silence.

C'est une façon de communiquer avec eux…

Comment pouvons-nous ressusciter si nous sommes incinérés ?

Quand j'imagine notre résurrection, à la fin de l'histoire des hommes, je rêve d'une foule immense, joyeuse comme une sortie de mariage ; tous tombent dans les bras les uns des autres, heureux de se retrouver : la grande famille des vivants ! Finis les cimetières et les tombeaux ! Dans la lumière du printemps de Pâques tous se relèvent, grande farandole de tous les peuples chantant le Seigneur qui fait vivre et revivre.

Oui, mais quel corps auront-ils, quel corps aurons-nous, puisqu'il y a des gens qu'on n'a même pas pu enterrer : disparus, naufragés, ou brûlés ? Et cet ami qui, en mourant, a donné à d'autres ses reins et ses yeux ?

Notre corps, aujourd'hui, c'est une organisation géniale, beaucoup plus compliquée et perfectionnée qu'une fusée Ariane ! Mais le principal, c'est qu'il nous permet de bouger, de parler, de sourire, d'entrer en relation avec les autres, de les embrasser.

Alors, quand on dit que le Seigneur ressuscitera notre corps à la fin des temps, ce n'est pas en pensant qu'il rassemblera, dans un gigantesque puzzle, tous les morceaux de matière qui nous auront appartenu à un moment ou à un autre de notre vie, retrouvant tous les atomes de carbone, les cellules ou les neurones qui ont fait partie de nos mains ou de notre cerveau.

Nous sommes bien incapables d'imaginer ce que seront ces « corps ressuscités », mais nous savons que nous pourrons de nouveau communiquer et nous reconnaître.

Pourquoi avons-nous peur de la mort, alors que nous savons que nous allons ressusciter ?

Xavier a perdu son oncle Jean. Boris, son ami, le console :

– Xavier, qu'est-ce qui se passe ? Tu as l'air triste.

– Mon oncle Jean est mort. J'ai vu maman qui pleurait.

– Moi, c'était pareil quand le meilleur copain de papa est mort dans un accident de voiture. Papa était tout blanc, on aurait dit la fin du monde.

– Pourtant, maman dit que Jean est sûrement vivant près de Dieu. Alors pourquoi elle pleure ?

– Même si on croit que Dieu nous sauvera de la mort, c'est quand même un moment horrible ! Tu te rends compte, être séparés pour toujours alors qu'on s'aimait !

– Et quand on sait que le corps tombe en poussière, brr… La mort donne froid dans le dos. Même si on croit que Dieu nous ressuscitera tout entiers, c'est quand même dur à avaler.

– Personne ne peut prouver qu'il y a une vie après la mort. On peut seulement le croire. Alors, même si on y croit, cela n'empêche pas d'avoir peur de la mort, ni d'être triste.

– Moi, ce qui me fait peur, c'est de ne pas savoir ce qu'il y a après. Tu crois qu'on ne verra plus la mer, la montagne, que tout sera différent ? Moi, je l'aime bien, notre vie sur la terre !

– Je crois que tout le monde a peur. Même Jésus était effrayé la veille de sa mort, quand il était tout seul à prier.

– Et puis quand Lazare est mort, il a pleuré. Moi je pense que Jésus a été bouleversé par cette mort qui lui prenait son ami.

Est-ce que les animaux vont au ciel?

Hélène a du chagrin. Sa petite chatte toute blanche vient de mourir. Elle avait prié pour qu'elle guérisse, comme pour son arrière-grand-père l'année dernière. Et maintenant c'est fini! Hélène n'a pas voulu laisser sa petite chatte chez le vétérinaire.

Avec son frère, elle a creusé un trou dans le jardin et elle l'a enterrée. Elle a même planté une petite croix à cet endroit-là. Ce soir, dans son lit, elle se demande : est-ce que Boule de Neige est au paradis? Pas si simple de répondre!

Oui, le Seigneur aime les animaux. Il y en a plein dans la Bible, et ils ont du prix aux yeux de Dieu, puisqu'il a demandé à Noé de les faire entrer dans l'Arche pour les sauver du déluge. Et dans toutes les crèches, qui trouve-t-on auprès de l'enfant Jésus? Le bœuf, l'âne, les moutons et même le chien du berger.

Pourtant un animal, ce n'est pas une personne. La mort d'une petite chatte, ce n'est pas comme la mort d'un homme. Le Seigneur, le Créateur, aime bien les animaux comme toute sa création, mais il aime mieux encore Hélène et tous les humains qui sont faits pour réfléchir, parler, aimer. Ceux-là, il les a voulus à son image et à sa ressemblance. Et il veut vivre avec eux pour toujours.

Mais tout ce qu'Hélène a vécu avec Boule de Neige est important. Elle a appris à jouer avec elle, à la soigner, à l'apprivoiser. Entre la petite fille et sa chatte, c'était une vraie histoire d'amour.

Grâce à Boule de Neige, Hélène est devenue plus attentive, plus tendre, plus responsable, plus fidèle. Et cela ne peut disparaître. Cela fait partie maintenant de l'histoire éternelle d'Hélène. Et quelle belle vie de chat pour Boule de Neige d'avoir ainsi fait grandir une petite fille!

Chapitre 11

Dieu, entends-nous !

Dieu nous entend-il quand nous prions?

Dans leur malheur, beaucoup de gens s'adressent à Dieu en criant : « Où es-tu caché, mon Dieu ? J'ai peur de souffrir et de mourir.

Où es-tu quand on me torture, quand on m'humilie, quand on me déporte loin de mon pays ? Pourquoi m'as-tu abandonné ? Es-tu sourd à mon appel ?

Je crie vers toi, mon Dieu, je n'entends pas ta voix, je ne reconnais pas ton visage, je ne sens pas ta main prendre la mienne. »

Et Dieu leur dit dans le secret : « Écoute ma voix, regarde-moi, prends ma main, je suis là, je marche à tes côtés, prêt à te porter dans mes bras comme un père, prêt à te tendre les bras comme un ami et à pleurer avec toi comme un frère. Viens à moi. »

Dieu nous entend, Dieu nous écoute, Dieu nous répond. Mais sa réponse souvent ne fait pas de bruit. Nous la découvrons dans la confiance qu'il nous redonne, dans l'amitié de ceux qui nous réconfortent…

Et nous, est-ce que nous écoutons Dieu quand nous prions ?

Comment fait-on
pour écouter Dieu ?

« Un jour en hiver, je suis allé sur la plage. Pour une fois je n'avais pas mon cerf-volant et je ne faisais rien. Je me suis assis et j'ai regardé la mer qui était un peu sauvage, impressionnante ! Je ne sais pas comment c'est venu, mais j'ai pensé à Dieu. C'était comme s'il était à côté de moi et qu'on pouvait se parler par la pensée. Depuis ce jour, cela m'arrive parfois de m'asseoir tout seul pour regarder un paysage. C'est ma manière d'écouter Dieu. »

Romain

« Quand je lis des passages de la Bible, je me dis que Dieu me parle. Par exemple, il y a cette histoire où Marthe se met en colère contre sa sœur Marie qui ne l'aide pas à servir le repas pour Jésus. Marie, elle, reste assise à écouter. Quand je lis ça, c'est comme si Dieu me disait : Et toi, Pauline, tu es comme Marthe, est-ce que tu ne t'agites pas trop ? Sais-tu écouter ce qui est important, comme Marie ? »

Pauline

« Quand je vais à la messe, c'est comme si j'allais écouter Dieu. Je trouve ça plus facile que quand je suis tout seul. D'autres fois, à l'école ou dans le bus, tout d'un coup quelque chose me fait penser à Dieu, alors que je ne m'y attendais pas du tout. C'est comme s'il venait me rendre visite ! Parfois aussi un geste ou un mot de quelqu'un me parle de Dieu. »

Julien

Pourquoi dit-on : *Au nom du Père...* et pas : *Bonjour le Père...* ?

Ce matin,
devant la belle lumière de ce jour qui se lève,
j'ai envie, tout simplement de vous dire bonjour :
« Bonjour le Père, le Fils et le Saint-Esprit. »

Dieu, tu es mon Dieu, mon Père et ma lumière,
Jésus, tu es mon Seigneur, mon frère et mon ami,
Esprit Saint, je sais que tu es dans mon cœur.

Je voudrais pouvoir vous parler avec les mots de tous les jours.
Certes, je connais bien les mots de mon baptême :
« Au nom du Père et du Fils et du Saint-Esprit »,
et j'aime bien, pour commencer ma prière, dessiner sur mon front
et sur mes épaules le signe de la croix de Jésus.

Mais ce matin, parce que je vous adore,
avec un seul bonjour je vous embrasse tous les trois.

Je ne sais pas vraiment quoi dire à Dieu.

Tu sais, cela n'arrive pas seulement aux enfants. Ce n'est pas une catastrophe. Mais prier, ce n'est pas si difficile… Tiens, voici comment quelques croyants parlent à Dieu :

« Si tu m'aimes vraiment, Dieu, explique-moi ce que tu veux, que je te comprenne ! »

« Je t'aime, Seigneur, tu es ma force. »

« Je suis si malheureux ! Mais pourquoi m'as-tu fait naître ? »

« J'ai fait le mal, Seigneur, enlève tous mes péchés ! »

« Mon cœur saute de joie, car tu me sauves ! »

Tu trouves ces prières dans la Bible. Elle sortent de la bouche de Moïse, David, Job, Marie.

Tu vois, on peut tout dire à Dieu, comme un ami parle à un ami.

Dis-lui tes joies, tes peines, tes colères, tes espoirs. Ou les questions que tu te poses. C'est en priant qu'on apprend à prier, petit à petit…

Tu peux aussi lui parler avec les mots que les chrétiens t'ont appris : le Notre Père, ou cette prière de Marie qu'on appelle le *Magnificat*, ou celle de saint François, ou encore un chant… Le choix est vaste, pour louer sa beauté ou pour lui dire merci, pour lui demander pardon ou lui demander quelque chose.

Et puis fais confiance. L'Esprit Saint te suggérera quoi dire. Il t'apprendra aussi à rester silencieux, tout tranquille entre les mains de Dieu, Notre Père. Ou encore à savourer un petit morceau de la Bible. Là, c'est Dieu qui nous parle. Et l'écouter, c'est aussi une prière !

Les grandes prières :

Ces prières datent d'il y a très longtemps. Elles ont été récitées par des hommes qui les tenaient de leurs parents, qui les tenaient eux-mêmes de leurs parents… Lis ces textes à haute voix ou en secret, relis-les, redis-les. Ce sont maintenant aussi tes prières.

Notre Père

Jésus a confié à ses amis cette prière.

Notre Père qui es aux cieux,
que ton nom soit sanctifié,
que ton règne vienne,
que ta volonté soit faite sur la terre comme au ciel.
Donne-nous aujourd'hui notre pain de ce jour.
Pardonne-nous nos offenses
comme nous pardonnons aussi,
à ceux qui nous ont offensés.
Et ne nous soumets pas à la tentation,
Mais délivre-nous du Mal.

Je vous salue Marie

**Voici une prière pour demander
à Marie de prier pour nous.**

Je vous salue, Marie, pleine de grâce,
le Seigneur est avec vous.
Vous êtes bénie entre toutes les femmes,
et Jésus, le fruit de vos entrailles, est béni.
Sainte Marie, mère de Dieu,
Priez pour nous, pauvres pécheurs,
Maintenant et à l'heure de notre mort.

Gloire à Dieu

Les chrétiens ont l'habitude de chanter cette prière.

Gloire à Dieu au plus haut des cieux,
Et paix sur la terre aux hommes qu'il aime.
Nous te louons, nous te bénissons, nous t'adorons,
Nous te glorifions, nous te rendons
grâce pour ton immense gloire.
Seigneur Dieu, Roi du ciel,
Dieu le Père tout-puissant.
Seigneur, Fils unique, Jésus Christ,
Seigneur Dieu, Agneau de Dieu, le Fils du Père.
Toi qui enlèves le péché du monde, prends pitié de nous,
Toi qui enlèves le péché du monde, reçois notre prière.
Toi qui es assis à la droite du Père,
prends pitié de nous.
Car toi seul es saint,
Toi seul es Seigneur,
Toi seul es le Très-Haut :
Jésus Christ, avec le Saint-Esprit,
Dans la gloire de Dieu le Père.
Amen.

des mots très anciens et tout neufs

Dans la Bible se trouve le livre des Psaumes. Ce sont cent-cinquante prières écrites par des croyants, et que des hommes, des femmes et des enfants chantent ou lisent depuis des centaines et des centaines d'années. Écoute…

Réponds-moi, Seigneur
Psaume 12

Jusqu'à quand, Seigneur, m'oublieras-tu ?
Jusqu'à quand, Seigneur, te cacheras-tu ?
Jusqu'à quand garderai-je du chagrin plein mon cœur ?
Regarde, réponds-moi, Seigneur mon Dieu !
Moi, je compte sur toi, Seigneur :
que mon cœur éclate de joie,
et que ma bouche chante que tu es bon !

Chantez Dieu !
Psaume 150

Alléluia !
Chantez Dieu au plus haut des cieux !
Chantez Dieu pour tant de grandeur !
Chantez-le avec des sonneries de cor,
Chantez-le avec la harpe, avec le tambour et les danses,
Chantez-le avec cordes et flûtes,
et avec des cymbales.
Que tout ce qui respire chante le Seigneur !
Alléluia !

Mon Dieu, lave-moi
Psaume 50

Mon Dieu, regarde-moi et efface mes péchés.
C'est vrai, j'ai fait ce qui est mal à tes yeux.
Tu es juste, Seigneur,
Tu veux la vérité au fond de mon cœur.
Apprends-moi ta sagesse,
lave-moi, et je serai plus blanc que neige.

Le Seigneur est mon berger
Psaume 22

Le Seigneur est mon berger, je ne manque de rien.
Il me fait coucher sur de l'herbe fraîche,
Il me mène près des ruisseaux
où je reprends des forces.
Dans les ravins d'ombre et de mort,
je n'ai pas peur car tu es avec moi.
Tu me nourris, tu me protèges de mes adversaires.
Le bonheur me suit partout,
je reviendrai toujours à la maison du Seigneur.

Maman a été très malade. On a prié pour sa guérison, mais Dieu n'a rien fait.

Armelle est très triste. Elle est même désespérée. Elle crie sa colère. Son père l'écoute, il essaie de lui répondre.

– Papa, tu sais, j'en veux à Dieu. Mais à quoi il sert ? J'ai prié, prié. Tout ça pour quoi ? Pour rien ! Maman est morte... Je croyais que Dieu pouvait tout. J'ai pensé qu'il aimait assez maman pour la sauver. Et qu'en nous voyant si malheureux, il ferait quelque chose pour nous. Eh bien, je me suis trompée !

– Écoute-moi, Armelle. Moi aussi je suis terriblement malheureux. Mais je sais aussi, malgré tout, que Dieu nous aime chacun et veut notre bonheur. Il comprend notre souffrance, il est avec nous. Il nous aime encore plus aujourd'hui où l'on pleure, toi et moi. Mais il ne veut pas être un magicien qui change le cours des choses d'un coup de baguette magique. Ta maman ne pouvait pas guérir, c'est tout.

– Alors, Dieu n'est pas si fort que ça !

– Je crois que sa force, sa puissance, c'est celle de son amour. En ce moment, il est là, il ne nous oublie pas. Il nous accom-pagne pour que nous trouvions le courage de vivre.

– Tu peux m'expliquer alors pourquoi il y a des gens qui le prient et qui guérissent ? À Lourdes, il y a bien des miracles !

– Cela arrive, c'est vrai. Peut-être les miracles sont-ils un peu comme un clin d'œil de Dieu à nous les hommes pour nous mon-trer que, de toute façon, la vie sera gagnante. Et puis, dis-toi que ta maman est avec Dieu dans une vie nouvelle, complètement diffé-rente.

– Je préférais quand elle était avec moi !

– Je te comprends. Mais je suis sûr qu'un jour, dans trois mois ou dans vingt ans, tu découvriras que tes prières n'ont pas servi à rien. Tu comprendras que Dieu a fait atten-tion à toi. Qu'il t'a aidée à grandir, à être meil-leure. Peut-être pas comme tu le pensais. Mais fais-lui confiance.

– C'est dur ! En attendant, il faudra bien qu'on apprenne à vivre sans maman. S'il ne nous aide pas, je ne vois pas bien comment on va faire.

Dieu est-il trop occupé
pour nous répondre ?

Parfois on imagine Dieu en homme d'affaires très occupé, dirigeant la terre comme une immense entreprise. Il répondrait aux millions de demandes des hommes, organisant tout grâce à une sorte de super-ordinateur. Il devrait satisfaire les désirs de chacun et résoudre tous les problèmes du monde.

Mais Dieu n'a pas voulu que la terre soit comme une usine dont il serait le directeur. Dieu a voulu que l'homme soit libre de décider de sa vie. Cela ne veut pas dire qu'il ne s'intéresse pas à nous. Au contraire, Jésus nous dit qu'il est comme un père qui aide ses enfants à bien grandir.

Comment Dieu fait-il pour se débrouiller avec tous ses enfants ? C'est son secret. Mais, même lorsque nous avons du mal à imaginer sa présence, il est tout près de chacun de nous et nous fait confiance.

Pourquoi prie-t-on Marie ?

Nous aimons bien parler à Marie dans notre prière. Aux tout petits enfants on apprend déjà à lui dire bonjour : « Réjouis-toi, Marie, comblée de grâces. » Ce sont les mots de l'Évangile.

Marie est la mère de Jésus. Elle veut nous aider à le connaître. Elle veille aussi sur nous qui sommes les amis, les frères de son Fils.

Jésus a dit à saint Jean, au moment de mourir, que Marie serait aussi notre mère. Nous savons qu'elle nous comprend, comme une maman, surtout quand nous avons des ennuis.

Mais nous savons bien que Marie n'est pas Dieu. Alors, bien sûr, on ne la prie pas comme on prie Dieu, ou comme on prie Jésus, ou le Saint-Esprit. Quand on appelle Marie, c'est pour lui demander de « prier pour nous ». Elle sait tellement mieux le faire que nous. Mais elle est de notre côté, de notre bord.

Marie prie avec nous et nous prions avec elle. Elle est la première de tous les saints, ces amis de Dieu qu'on appelle quand on se sent un peu seuls : « Saint Pierre, priez pour nous ! Saint Paul, priez pour nous ! »

C'est ce que nous appelons la litanie des saints. Eh bien, Marie est la première, elle est en tête de ce grand cortège des amis de Dieu. Elle nous invite aussi à partager sa prière, et à chanter, comme elle et avec elle : « Magnifique est le Seigneur ! »

Pourquoi voit-on Jésus
accroché sur une croix ?

Des croix, on en voit de toutes les tailles. Il y a les grandes, au croisement des chemins de campagne, tout en haut des clochers, ou à l'intérieur des églises. Et il y a les petites, portées comme des médailles, ou comme des bijoux, autour du cou, ou comme des insignes sur le revers d'une veste. Les chrétiens sont-ils donc si fiers de la croix, pour l'afficher ainsi partout ?

Pourtant, quand on y pense, la croix est un instrument de mort, aussi horrible que la guillotine ou la chaise électrique. Pire même, car cette mort-là était une longue torture. Comment les chrétiens ont-ils pu choisir de présenter une telle image de celui qu'ils appellent le Fils de Dieu ?

Pour les premiers compagnons de Jésus, ce n'était pas évident. La croix avait été un scandale, un échec. Et on se moquait d'eux : disciples d'un crucifié !

Mais peu à peu ils ont compris les choses autrement. Oui, c'est vrai, Jésus est mort ainsi, en raison de la méchanceté de ceux qui l'ont condamné, à cause du mal qui pourrit le cœur de l'homme. Jésus n'a pas choisi de mourir, bien sûr. Mais, à cause de son amour pour nous, il n'a pas eu peur de ceux qui le menaçaient de mort, et il a continué à dire partout que Dieu aime tous les hommes. Et Dieu lui a donné raison : il l'a arraché à la mort, il l'a ressuscité au matin de Pâques.

Alors la croix ne nous rappelle pas seulement la mort de Jésus, elle est devenue aussi le signe de cette victoire sur la haine et sur la mort, de cette résurrection. Pour nous chrétiens, la croix est comme un drapeau, un étendard dont nous sommes fiers : nous sommes les amis de ce Jésus qui a aimé jusque là.

Pourquoi le Notre Père est-il si compliqué ?

Les mots sont compliqués, mais c'est une prière simple.

C'est vrai que beaucoup de ces mots, comme « les cieux » ou « sanctifier », ne sont pas ceux que nous utilisons habituellement. Mais ils nous viennent de Jésus : ce sont les mots de son peuple et de son temps. Alors on se les transmet sans trop oser les changer. Depuis vingt siècles, des milliards d'hommes, dans toutes les langues de la terre, ont repris ces paroles pour prier avec Jésus et comme lui.

On dit d'abord à Dieu qu'on l'aime, et que ce qui est important pour lui, ce que Jésus appelle son Nom, son Règne, sa volonté, cela nous intéresse, et même cela nous passionne.

On est prêt à se remuer pour que son grand désir se réalise : que tous les hommes découvrent qu'ils sont ses enfants.

Et puis, dans la seconde partie du Notre Père, on demande à Dieu ce qu'il nous faut pour vivre : son Pain, qui nourrit notre corps et notre cœur, et son Pardon, qui nous délivre du Mal.

C'est donc tout simple. Simple comme « Bonjour papa, bonjour maman ! » Quelquefois, d'ailleurs, on peut se contenter des deux premiers mots, Notre Père, qui disent déjà tout : « Toi qui es le Père de Jésus, et le Père de tous les hommes, tu es aussi mon Père à moi, et j'en suis très heureux. »

Chapitre 12

Bon vent,
la vie !

Aimer, qu'est-ce que cela veut dire ?

Moi, j'aime des milliers de choses.
Manger du chocolat, jouer au cerf-volant,
Lire allongée sur l'herbe,
Parler des heures au téléphone,
Marcher pieds nus dans le sable,
Écrire au stylo-plume, prendre l'avion,
Tout ça, j'aime.

Et puis j'aime Nathalie, Gabriel, Camille,
Victor, Pierre et Louise,
Mes parents, ma sœur, mes frères,
Mes amis d'un jour, et ceux de toujours.
Eux, je les aime vraiment, beaucoup.
Bien plus que le chocolat, l'avion
Ou le téléphone.

Ça n'a rien à voir.
Je les aime parce que je tiens à eux.
Parce qu'ils sont uniques,
Parce qu'ils sont irremplaçables,
Parce qu'avec eux, ma vie est différente,
Parce que sans eux, ma vie serait vide.
Je les aime parce qu'à côté d'eux,
Je me sens devenir meilleure.

Je les aime parce qu'ils m'aiment.
Et cet amour remplit ma vie, la gonfle,
Et lui donne des ailes.
Puis il y a tous ceux que je n'aime pas,
Mais alors pas du tout.
Ceux à qui j'en veux,
Ceux que j'ai oubliés,
Ceux que je trouve changés,
Ceux que je trouve sans intérêt.

Quand je pense à eux,
Il m'arrive souvent de penser à toi,
Mon Dieu.
À cette phrase que Jésus nous a laissée,
Comme un défi, quand il était sur terre :
« Aimez-vous les uns les autres
Comme je vous ai aimés. »

Toi, Dieu, tu es l'amour.
L'amour, c'est Toi.
Donne-moi la joie, mon Dieu amour,
D'aimer tous ceux que je rencontre
Comme Toi tu les aimes.

Comment peut-on rendre les gens heureux ?

Le rêve, pense-t-on, ce serait d'être un magicien. Avec, par exemple, une gomme à effacer les malheurs. Et à donner à tous le sourire et le bonheur. Mais il faut bien se faire une raison, la gomme à effacer le malheur n'est pas près d'être inventée ! Donc, on est bien obligé de se débrouiller autrement !

Et d'abord en regardant bien ce qui se passe autour de soi. C'est fou de voir comme les gens sont plus heureux quand on est soi-même plus souraint. L'humeur, la bonne ou la mauvaise, c'est très contagieux. Répandre autour de soi de la bonne humeur, voilà déjà une bonne recette à gommer les petits malheurs.

Parfois on rencontre des gens qui sont plongés dans une longue peine ou un terrible malheur. Mais, là aussi, la plus petite chose que l'on fait, des mots gentils, une caresse, un baiser, un petit cadeau de rien du tout, cela leur fait vraiment du bien, même si l'on ne gommera pas d'un seul coup la raison de leur chagrin. Quand on sait qu'il y a, très loin, des gens très malheureux, on peut aussi faire quelque chose. Morgane prépare un quatre-quarts au chocolat pour le vendre à la fête de l'école. L'argent sera envoyé à une léproserie du Vietnam. Morgane et sa classe inventent un peu de bonheur.

Au fond, le secret pour rendre les gens heureux, ce serait de ne jamais faire comme s'ils n'existaient pas. Et d'inventer ce que l'on peut faire pour eux, même si c'est minuscule. C'est cela aimer à la manière de Dieu. Et c'est lui, Dieu, qui fera de toutes ces petites graines de bonheur un arbre immense, comme celui qui se trouve dans la parabole de la graine de moutarde, à l'ombre duquel tout le monde pourra s'abriter pour être heureux pour toujours.

Est-ce bien vrai que Jésus nous demande d'aimer nos ennemis ?

Nous ses disciples, nous l'avions suivi depuis le matin. Le vent chaud et la poussière de la route nous avaient épuisés, alors nous avons fait une halte sous les oliviers. Jésus était resté avec nous, assis il dessinait sur la terre ocre avec une feuille séchée. Personne n'osait le déranger. Il avait dit quelque chose de terrible ce matin : « Vous avez appris qu'il a été dit : *Tu aimeras ton prochain et tu haïras ton ennemi*. Eh bien, moi je dis : *Aimez vos ennemis.* »

Impossible ! Aimer les soldats romains qui occupent le pays ! Ils nous maltraitent et nous humilient tous les jours. Ils nous injurient et se mettent à rire quand nous prions. Non, impossible d'aimer ceux qui nous haïssent, que nous détestons et que nous combattons.

Pourtant Jésus, lui, aime aussi ceux qui lui jettent des pierres ou veulent le faire arrêter parce qu'il parle au nom de Dieu. Il dit qu'aimer son ennemi, c'est apprendre à lui pardonner, ce qui ne veut pas dire qu'il faut être d'accord avec tout ce qu'il fait. Cela ne veut dire non plus qu'on est obligé d'en faire son ami. Aimer même nos ennemis, c'est aimer avec Dieu, comme Dieu.

Dieu, lui, aime tous les hommes comme un père aime ses enfants, et même plus encore. À nous d'aimer chacun comme on devrait aimer son frère.

Doit-on vraiment aller à la messe tous les dimanches ?

« Le premier jour de la semaine, alors que nous étions réunis pour rompre le pain, Paul, qui devait partir le lendemain, adressait la parole aux frères… »

C'est saint Luc qui raconte, dans les Actes des Apôtres, au chapitre 20. Cela se passe à Troas, un port d'Asie Mineure, à Pâques en l'an 58. Ce qu'il appelle alors « rompre le pain », c'est la messe, le *repas du Seigneur.*

Ce jour-là d'ailleurs, alors que « Paul n'en finissait pas de parler », nous dit Luc, un jeune garçon nommé Eutyche s'endormit et bascula par la fenêtre. Heureusement, Paul le remit sur pied.

Cela fait donc vingt siècles que les chrétiens ont gardé l'habitude de se réunir « le premier jour de la semaine » : c'est le jour où Jésus est ressuscité. Ils en ont fait « le jour du Seigneur », en latin *dies Domini,* notre dimanche. Aller à la messe ce jour-là, c'est non seulement rencontrer d'autres chrétiens – les frères, disait Luc – mais c'est surtout se nourrir de la Parole de Dieu, dans les lectures qui sont faites, et de la vie du Christ, par la communion à son Corps.

Évidemment, c'est vital pour un chrétien. Personne ne pose la question : est-ce qu'il faut vraiment manger ou se laver tous les jours, ou est-ce qu'une fois de temps en temps cela suffit ? D'ailleurs, quand on participe moins régulièrement à la messe, on en perd un peu le goût, comme, lorsqu'on écrit moins souvent à des personnes qu'on aime bien, on ne sait plus trop quoi leur dire.

Quand on a envie d'aller moins souvent à la messe, c'est quelquefois qu'on a l'impression de s'y ennuyer. On peut alors en parler, pour se faire expliquer les gestes, les mots. Parfois, des messes sont spécialement préparées pour les enfants. On peut aussi se proposer pour lire les textes, les intentions de prière, apporter les offrandes, faire partie d'une petite chorale. En tout cas, cela vaut mieux que de s'endormir et de tomber par la fenêtre !

Mes parents ne m'ont pas baptisé pour me laisser le choix. Est-ce qu'ils ont eu raison ?

Mon cher neveu,

Merci de ta lettre et de m'avoir souhaité ma fête ! Je voudrais te répondre au sujet de tes parents qui ne t'ont pas fait baptiser. Quand tu es né, ils se sont dit que tu choisirais plus tard de devenir chrétien ou non. De cette façon, ils voulaient te prouver qu'ils tenaient à ta liberté.

C'est ta chance à toi ! Alors prépare ta décision. Prends le temps de réfléchir. Prends-la avec soin. Si tu veux, viens en parler avec moi.

Moi, mes parents m'ont fait baptiser dès ma naissance. Pour eux, le baptême était comme un trésor, puisqu'il fait de nous les enfants très aimés de Dieu. Ils ont voulu me l'offrir sans tarder. Ils ont choisi pour moi ce qui leur semblait le meilleur. Pareil pour mon prénom ou pour ma nourriture de bébé. Là non plus, je n'ai pas décidé ! Maintenant je suis chrétien parce que je suis sûr que cela en vaut la peine. Ma vie a un sens qui me rend heureux. Je me sens libre. Toi aussi, tu es libre. Ne l'oublie jamais !

Salut et à bientôt !

Ton oncle Christophe

La confirmation, c'est quoi ?

Je te raconte celle de Julie, j'y étais.

Le jour de sa confirmation, il y avait vingt jeunes de 3ᵉ. L'église débordait de monde. L'évêque était là, à la tête de cette communauté, pour représenter Jésus. Il a étendu les mains sur les vingt jeunes en priant Dieu le Père comme ceci : « Répands maintenant sur eux ton Esprit Saint ; donne-leur l'Esprit qui reposait sur ton Fils Jésus : Esprit de sagesse et d'intelligence, Esprit de conseil et de force, Esprit de connaissance et d'affection filiale… »

Puis, il a tracé une croix sur le front de Julie et des autres avec une huile parfumée, le « saint chrême », un mot grec qui rappelle le mot Christ. Il a dit : « Julie, sois marquée de l'Esprit Saint, le don de Dieu. » Le parrain de Julie était là. Voilà, Julie était confirmée ! En partageant avec nous son Esprit, son souffle de vie, Dieu se rend tout proche.

La confirmation est un sacrement, comme le baptême ou l'eucharistie. En fait, notre baptême nous a déjà transmis l'Esprit. Mais pour grandir, il nous faut des forces neuves ! La confirmation nous redonne du souffle. Elle nous aide à tenir notre place de chrétien. Nous devenons des témoins plus efficaces de l'Évangile, comme les apôtres de Jésus.

Cela valait la peine de s'y préparer : ces derniers mois, Julie a rencontré d'autres chrétiens, a prié, a écrit à l'évêque pourquoi elle choisissait d'être confirmée. C'était son premier vrai choix de chrétienne adulte…

Pourquoi met-on de l'eau sur la tête de ceux qui se font baptiser ?

L'eau, c'est la vie. Pour les hommes, les bêtes, les plantes. Surtout dans les pays souvent secs comme le pays de Jésus, où on cherche les puits. On dit « nager dans le bonheur », « être comme un poisson dans l'eau ». Être baptisé, c'est être plongé dans l'amour de Dieu.

L'eau sert aussi à laver. Avant Jésus, Jean, le prophète, plongeait les gens dans les eaux du fleuve Jourdain pour qu'ils soient comme lavés de leurs péchés. On le surnommait « le Baptiste ».

Jésus a repris ce geste pour ses disciples. Ce baptême est l'entrée dans la vie chrétienne comme dans une vie toute neuve. Et après sa mort et sa résurrection, ce baptême a pris un nouveau sens : c'est comme si on ressortait de l'eau après avoir failli se noyer. Pour se rappeler que Jésus n'a pas été englouti par la mort : Dieu l'a ressuscité.

Nous aussi, par le baptême, nous sommes vainqueurs, avec Jésus, de tout ce qui fait mourir et de tout ce qui fait peur. De qui aurions-nous peur ? Dieu, le Père de Jésus, nous dit à nous aussi, comme il l'a dit à Jésus, qu'il est notre Père. Et il nous donne la force de son Esprit.

C'est vrai que tout cela, on le comprend mieux quand un enfant ou un adulte est vraiment plongé dans l'eau pour être baptisé. Le mot baptême vient d'un mot grec qui signifie plonger. Mais il faut aussi s'en souvenir quand on se contente, parce que c'est plus pratique, de verser seulement un peu d'eau sur le front.

Pourquoi fait-on
sa communion ?

Mes chers amis de l'équipe de CM1,

Avec vous, j'ai passé une très belle année. J'ai aimé être votre catéchiste. Mais je vais déménager, et je ne serai plus là pour vous aider à préparer votre première communion. Alors, j'ai eu envie de vous écrire ces quelques mots ! En communiant, vous prendrez votre vraie place à la table des chrétiens. C'est comme un repas de famille. Cette famille, c'est l'Église avec un grand É. Elle traverse les siècles et les frontières, de Londres à Rio de Janeiro, d'Abidjan à Tokyo !

. La première fois que l'on communie est célébrée comme une grande fête. Les autres chrétiens seront heureux de vous accueillir en ce grand jour. Vous participerez alors complètement à l'eucharistie. Jusqu'à présent vous étiez déjà nourris par la Parole de Dieu. Désormais, vous recevrez aussi en nourriture le pain de Dieu, le corps du Christ. Cela mérite que vous vous y prépariez avec soin toute l'année qui vient. En plus, vous prendrez un peu de temps exprès ensemble dans les jours qui précéderont. Petit à petit, vous comprendrez mieux comment la communion nous unit à Jésus Christ et à son Père. Elle fait de nous des frères.

Voilà pourquoi on communie. Toute sa vie, on a besoin de cette nourriture-là. Jésus nous la donne inépuisablement, comme il a nourri toute une foule avec cinq pains et deux poissons au bord du lac, vous vous souvenez ?

Je vous souhaite une joyeuse première communion, suivie de beaucoup d'autres !

Amitiés, Agnès

Pourquoi va-t-on
au catéchisme ?

Devinette :

Où peut-on découvrir Jésus Christ, entendre ses paroles ?

Où peut-on comprendre pourquoi tant d'hommes croient qu'il est le Fils de Dieu ?

Où peut-on rencontrer un chrétien qui nous explique qui sont les chrétiens ?

Où peut-on découvrir ce que veut dire « prier » ?

Où peut-on parler ensemble des hommes qui ne sont pas chrétiens mais qui croient quand même en un Dieu ?

Réponse : au catéchisme.

On peut aller au catéchisme pour différentes raisons.

On peut y aller par curiosité ou parce qu'un copain nous en a parlé. On peut y aller parce que cela se passe dans notre école.

Le plus souvent, on y va parce que nos parents nous y envoient. Tout part d'un engagement. Au baptême d'un enfant, ses parents l'ont promis : ils lui donneront la possibilité de découvrir Jésus Christ, la Bible, l'Église. C'est aussi au catéchisme que l'on apprend ensemble, adultes et enfants, à vivre en chrétiens.

Pourquoi certains se marient à l'église ?

On avait reçu un faire-part : « Caroline et Sylvain se marient le 3 juin à l'église Notre-Dame. Ils vous invitent à partager leur joie. »

J'avais souvent vu des mariés sortir de la mairie juste en face de chez moi, mais un mariage à l'église, pas souvent.

Mais pourquoi veulent-ils aller à l'église ? Qu'est-ce que cela peut bien changer à leur amour ? Je me disais : c'est peut-être plus joli à l'église, avec des chants, des fleurs et la musique de l'orgue. Et puis il y a un prêtre, cela fait plus sérieux ; à moins que cela porte bonheur ! C'est tout ?

J'ai posé la question à Caroline. J'ai mieux compris. En choisissant de se marier à l'église, ils veulent remercier Dieu de s'être rencontrés. L'amour d'un homme et d'une femme, c'est une grande aventure et ils viennent aussi demander à Dieu de les aider à tenir bon la barre, comme pour un bateau, malgré les vents de tempête. Et puis, comme tous les baptisés, ils savent qu'entre Dieu et l'humanité, c'est comme un mariage : Dieu nous aime d'un amour gratuit, patient, fidèle et sans cesse renouvelé, un amour créateur de vie.

En se mariant à l'église et en s'engageant l'un envers l'autre devant Dieu et tous leurs amis, c'est cet amour-là qu'ils ont envie de vivre avec leurs enfants et de dire à tous.

Les sacrements

Jésus nous a laissé des signes, des gestes, des paroles, pour marquer les grands moments de notre vie de chrétiens, de notre naissance à notre mort : ce sont les sept sacrements. Quand, pour nous, dans la communauté chrétienne, le prêtre refait ces gestes et redit ces paroles, c'est toujours Jésus qui agit et qui nous fait vivre, comme lorsqu'il était avec ses premiers disciples et qu'il accueillait les foules, bénissait les enfants, guérissait les malades ou pardonnait les péchés.

Le baptême

C'est le premier sacrement qu'on reçoit, la porte d'entrée dans la vie chrétienne. En étant plongé dans l'eau, ou en recevant un peu d'eau sur son front, le baptisé devient tout neuf, comme Jésus ressuscité.
Commence alors pour lui une vraie vie d'enfant de Dieu. On baptise même les enfants tout petits, pour bien montrer que c'est toujours Dieu qui commence, avant même que nous soyons capables de lui répondre.

La confirmation

Par l'imposition des mains de l'évêque et l'onction d'huile sur le front, le chrétien qui a grandi reçoit spécialement le Saint-Esprit, qui le rend plus solide pour annoncer l'Évangile.
Il devient alors vraiment responsable dans la communauté chrétienne.

L'eucharistie

C'est le sacrement central, le cœur de la vie des chrétiens. Les disciples de Jésus se réunissent pour revivre ensemble son dernier repas et le don qu'il a fait de sa vie. Quand le prêtre refait les gestes de Jésus et qu'il redit les paroles qu'il a prononcées ce soir-là, nous communions réellement à sa vie, à sa mort et à sa résurrection.

Les sacrements

La réconciliation

C'est le sacrement du pardon que le prêtre nous donne, au nom de Jésus, quand nous voulons rompre avec le péché et revenir vers Dieu.

Le mariage

Dieu est la source de tout amour, lui qui a fait alliance avec l'humanité. Quand un homme et une femme se marient à l'église, ils reçoivent la force de construire leur famille en s'appuyant sur Dieu. En s'engageant l'un envers l'autre pour toute leur vie, ils deviennent ensemble le signe de l'amour que Dieu nous donne : son amour à lui, c'est pour toujours.

L'ordre

À la suite du Christ, bon berger pour son peuple, certains hommes, par l'imposition des mains de l'évêque, reçoivent mission de consacrer leur vie, comme prêtres, à faire vivre l'Église pour qu'elle annonce l'Évangile à tous. L'évêque ordonne aussi des diacres comme signe de Jésus serviteur de tous.

Le sacrement des malades

Ce n'est pas facile d'être très âgé ou très malade. En priant avec le malade, en faisant des onctions d'huile sur son front et sur ses mains, le prêtre lui donne un signe de réconfort : Dieu n'oublie pas les plus fragiles. Son Fils Jésus a partagé leur souffrance, ils partageront son triomphe.

Pourquoi, quand on aime quelqu'un, on fait tout pour lui ?

Lorsque le meilleur ami de Pierre a dû aller à l'hôpital durant toutes les vacances d'été, Pierre n'a pas hésité : il a demandé à ses parents s'il pouvait rester près de son ami et ne pas partir en vacances. Personne n'a obligé Pierre à agir ainsi. C'est comme une force mystérieuse qui l'a entraîné à tout faire pour que son ami ne reste pas seul.

Même ceux qui peuvent nous sembler violents ou méchants ont des éclairs d'amour qui les poussent parfois à tout donner à celui ou à celle qu'ils aiment.

Parfois jaillit de nous-mêmes une force d'amour que nous ignorions posséder. Nous devenons plus heureux, emportés par le sentiment de vivre plus intensément, oubliant un peu nos propres préoccupations. C'est ce que Pierre a dû ressentir en décidant de rester près de son ami.

C'est étonnant, mais en donnant un peu de nous-mêmes, nous avons l'impression de devenir plus vivants, d'avoir le cœur prêt à exploser d'amour.

C'est dans ces instants que nous pouvons le mieux comprendre la manière dont Jésus a aimé le monde. Son amour des hommes était tellement immense qu'il a accepté de tout leur donner, sa vie tout entière.

Et quand il a traversé la mort pour rejoindre son Père, c'est encore en nous disant qu'il reste pour toujours cet ami prêt à tout faire pour nous.

À quoi ça sert de se marier pour divorcer après ?

Personne ne part en voyage pour avoir un accident ! Personne ne se marie pour divorcer. Un homme et une femme qui se marient s'aiment fort. Ils s'unissent pour se rendre heureux et avoir des enfants. Ils sont décidés à tout faire pour que cela dure toute leur vie.

Mais voilà, parfois, ils divorcent. Pourquoi ? C'est leur secret. En tout cas, ce n'est pas la faute de leurs enfants, qui n'y peuvent rien. Mais cela fait mal à tout le monde…

La vie est une drôle d'aventure ! Nous sommes à la fois courageux et lâches, généreux et égoïstes. Tous, nous ratons des choses… Ce qui nous sauve, c'est que Dieu nous connaît comme nous sommes. Il ne nous condamne pas, son pardon est toujours prêt. Les gens qui ont divorcé, il les aime quand même. Avec lui, l'avenir n'est jamais bouché.

Un jour, sans doute, tu te marieras. Je te souhaite une vie de marié heureux. Pas forcément une vie toute rose ! Ce n'est jamais tout rose. Il y aura des jours merveilleux, des jours où vous saurez prendre le temps de vous parler. Mais d'autres fois, vous vous ignorerez, ou encore vous vous disputerez, vous aurez même peut-être l'impression de ne plus vous aimer…

N'aie pas peur. Ces jours-là, on peut s'aimer quand même, d'une autre façon. Tu verras, le mariage c'est formidable !

Mon père est parti.
Est-ce qu'on peut s'aimer encore ?

Il est au moins dix heures. Il fait tout noir dans ma chambre. Je pense à toi, Papa. Tu te souviens, quand tu habitais à la maison ? Je ne pouvais pas m'endormir avant que tu viennes me dire bonsoir. Maintenant, je m'endors tout seul. Souvent, je mets longtemps ; quelquefois, très longtemps…

Hein, c'est bien vrai que ce n'est pas de ma faute, si tu es parti ? Tu sais, au début, j'avais peur que ce ne soit plus comme avant entre nous deux. Heureusement, le premier week-

end où on s'est retrouvés chez toi, j'ai bien vu que tu étais content. Moi aussi je te manque, non ? Je les aime bien, nos week-ends.

Et puis après, il y a la semaine. Avec Maman, l'école, mes copains. C'est un peu comme avant, mais tous les trois, on n'est plus tout à fait une famille. On est un peu deux familles. Je le sais bien, ce ne sera plus jamais comme avant, mais dans chacune de ces familles, on s'aime très fort. Je me dis que ce n'est déjà pas si mal…

Est-ce grave
de désobéir à ses parents ?

Quand on se promène au printemps, près d'un étang, on peut voir une cane et ses canetons. Pour apprendre à voler, les canetons n'ont qu'une solution : regarder la maman cane qui montre comment déplier ses ailes, comment sentir les mouvements du vent. Pour le premier vol, les canetons suivent la cane et décollent ensemble à tire-d'aile.

Parfois un petit malin essaie de partir en sens inverse. Il a beau battre des ailes, rien n'y fait. Il n'y arrive pas, et retombe lourdement sur l'eau. S'il avait obéi, il y serait peut-être arrivé du premier coup. Car la cane a l'expérience, elle a déjà volé longtemps et sait bien comment faire. Le caneton a cru qu'il y arriverait tout seul, comme un grand. C'était risqué et il a échoué.

Quand on est enfant, on a envie d'être pris pour un grand. On se sent une personne, et on a l'impression parfois que les parents ne s'en rendent pas compte. On désobéit souvent quand on croit savoir ce qui est le mieux pour soi. Mais on oublie qu'on n'a pas tou-jours assez d'expérience. Les parents, bien souvent, ont raison. Ce n'est pas pour rien qu'ils interdisent telle ou telle chose. C'est parce qu'ils aiment leurs enfants qu'ils veulent les empêcher de se faire mal, ou de se tromper… Désobéir, c'est plutôt risqué !

Ce n'est qu'avec le temps qu'on apprend à connaître ce qui est bien ou pas. Les parents sont plus grands qu'un enfant, ils ont déjà compris plus de choses. Ils font de leur mieux, mais ils ne sont pas parfaits.

Toutes les désobéissances n'ont sans doute pas la même gravité. Prendre la moby-lette de sa grande sœur quand on n'a pas l'âge de la conduire, cela peut avoir des consé-quences dramatiques. Continuer à regarder la cassette des *Aventuriers de l'Arche perdue* alors qu'on avait promis d'aller se coucher, apparemment ce n'est pas si grave, mais en réalité, c'est trahir la confiance de ses parents.

Parfois, cela permet de faire des expé-riences tout seul et, si on se trompe, de ne pas recommencer.

Qu'est-ce que la confession auprès du prêtre et que faut-il lui dire ?

Comme tous ceux qui aiment vraiment, Dieu est toujours prêt à pardonner. Dans l'Évangile, nous voyons Jésus donner le pardon de Dieu : « Tes péchés sont pardonnés », dit-il.

Et c'est vrai encore aujourd'hui : Jésus nous a donné un signe, l'un des sept sacrements, « le sacrement de pénitence et de réconciliation ». Pour que nous soyons sûrs, nous aussi, que Dieu nous pardonne. C'est toujours le prêtre qui donne ce pardon de Dieu, comme c'est toujours lui qui préside la messe. Pour nous, comme pour les premiers apôtres, il représente Jésus, il le rend présent.

Dans cette célébration du pardon, tous ceux qui le veulent peuvent donc aller trouver le prêtre et lui dire les péchés qu'ils regrettent et dont ils veulent demander pardon. On appelle cela « confesser », comme dans le « Je confesse à Dieu ». Il ne s'agit pas de dire ses défauts (« Je suis menteur » ou « Je suis paresseux ») : ce n'est pas le plus important. On ne peut pas non plus raconter toute sa vie.

Mais on peut dire les deux ou trois moments où l'on n'a pas agi comme Dieu nous le demandait. C'est comme si on avait un peu abîmé l'alliance que Dieu a faite avec nous.

Un moyen simple pour savoir quoi dire : on peut se demander si on a bien vécu en enfant de Dieu, dans notre relation avec lui et aussi avec les autres.

Pourquoi les parents ont-ils le droit de faire des bêtises et pas nous ?

Pierre a neuf ans. Il triche au Monopoly, traverse la rue sans regarder, se dispute avec sa sœur pour un oui pour un non et jette ses papiers de chewing-gum par terre.

Paul a trente-sept ans. Il ne paye pas ses tickets de bus, brûle les feux rouges, se dispute avec ses voisins pour un oui pour un non et jette ses mégots n'importe où.

L'un des deux est souvent grondé, l'autre non. Devinez qui ? C'est Pierre, parce qu'il est un enfant.

Ce n'est pas juste que seul l'enfant soit grondé. Si l'on gronde Pierre, c'est parce qu'un enfant a besoin de temps pour grandir. Il apprend ce qui est bien et ce qui fait du bien. Il apprend ce qui est mal et ce qui fait du mal. Et petit à petit, il devient moins petit. Il devient responsable. Il devient adulte.

Mais adulte, cela ne veut pas dire parfait. Les adultes peuvent se tromper. Il arrive qu'ils fassent des bêtises, parfois même de grosses bêtises. Heureusement, il y a des sanctions pour ces bêtises. Certains adultes auraient bien besoin d'écouter cette voix intérieure qui leur dit : « Attention : grosse bêtise ! » Cela leur éviterait bien des ennuis, et puis cela serait plus facile pour leurs enfants.

Devons-nous aimer le pays où nous sommes nés ?

Il existe une très jolie coutume, dans certaines régions de France et du monde : quand un enfant naît, on plante un arbre. C'est une belle façon de montrer qu'on naît dans une famille et dans un pays, et que ce pays nous accueille. Ce pays, c'est une terre, un climat, des odeurs, mais aussi des gens qui nous ouvrent les bras.

Comme l'arbre plante ses racines pour pousser, nous grandissons dans un pays. Et pour bien nous développer, nous aussi nous avons besoin d'une bonne terre et d'engrais. Nous recevons ce que des générations ont reçu avant nous, des façons de s'habiller, de manger, une langue, et même parfois une religion… Tout cela nous aide pour grandir. Aimer son pays, c'est une façon de remercier pour ce que nous avons reçu et qui nous a appris à vivre. C'est aussi le faire vivre à notre tour, en rendant la vie juste et bonne, en étant solidaire des autres hommes. Car un beau jardin, ça s'arrose, ça s'entretient !

Quand on est né dans un pays qui n'est pas celui où ses parents sont nés, ou bien quand on ne vit pas dans le pays où on est né, on a naturellement envie d'aimer les deux pays, celui de nos ancêtres et celui où on vit aujourd'hui. Cela demande un peu plus d'eau dans l'arrosoir… Mais c'est drôlement enrichissant aussi d'avoir deux pays et de les aimer tous les deux.

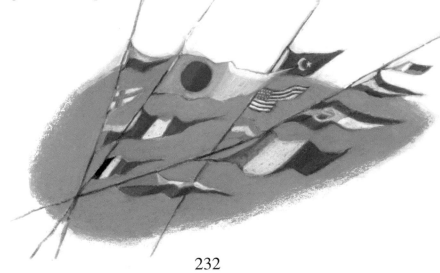

Qu'est-ce que je peux faire
pour aider les pays pauvres ?

Dans un grand nombre de pays, la plupart des familles ont à peine de quoi se nourrir. Les enfants ont du mal à grandir normalement.

Même dans les pays riches, la pauvreté existe. Ceux qui gouvernent essayent le plus souvent d'empêcher cette pauvreté, mais cela ne suffit pas. De plus en plus de personnes se disent qu'elles doivent agir. Souvent, elles donnent un peu de leur argent ou de leur temps à une association qui aide ceux qui manquent de tout. Elles essayent aussi de mieux comprendre les raisons de la pauvreté et proposent à ceux qui dirigent les pays de nouvelles idées.

Mais toi, que peux-tu faire ? Avant tout, garde intacte ton indignation !

La pauvreté est un scandale, et ce scandale, malheureusement, continuera d'exister encore longtemps.

Tout ce que tu apprends à l'école te servira un jour à imaginer peut-être de nouvelles solutions et à choisir un métier qui peut aider à lutter contre la pauvreté. Ensuite, avec tes copains d'école ou de catéchisme, vous pouvez participer à des actions utiles. Donner un livre que vous aimez à un enfant dont les parents ne peuvent pas en acheter, fabriquer un objet qui servira à gagner un peu d'argent pour aider une école à se construire… Ce sont des actes importants. Ils disent que tu es prêt à donner de toi-même pour changer le monde.

Comment est-ce que l'on devient saint ?

« **Q**uiconque écoute mes paroles et les met en pratique peut se comparer à un homme avisé qui a bâti sa maison sur le roc. » Voilà ce qu'affirme Jésus.

Il dit encore : « Soyez parfaits comme votre père céleste est parfait » ; et aussi : « Si tu veux être parfait, va, vends tout ce que tu possèdes, donne-le aux pauvres et suis-moi. »

Tout cela ressemble à des conseils pour devenir saint. Mais mettre les paroles de Jésus en pratique, cela va encore plus loin. Il faut apprendre à aimer. Ce n'est pas un travail vite fait ! Il faut recommencer sans cesse et sans cesse se donner… « J'avais faim et tu m'as donné à manger ; j'avais soif et tu m'as donné à boire ; j'étais étranger et tu m'as accueilli ; j'étais malade et tu m'as visité ; j'étais prisonnier et tu es venu me voir… » C'est simple d'agir ainsi ; et pourtant, comme c'est difficile !

Alors, est saint celui qui met toute sa confiance en Dieu pour partager sans mesure, pour pardonner sans mesure, pour aimer sans mesure. Est saint celui qui a choisi de vivre avec Dieu sans mesure. Certains de ceux qui ont agi ainsi ont été reconnus officiellement comme saints et proposés à tous comme modèles : sainte Thérèse, saint François, sainte Jeanne d'Arc…

S'aime-t-on encore quand on est vieux ?

Toute la famille est là pour fêter les noces d'or de mes grands-parents. Un de mes cousins leur a lu ce discours.

Chers grands-parents,

Cinquante ans ! Cela fait cinquante ans que vous êtes mariés. Cinquante ans que toi, Grand-Père, tu penses à Grand-Mère avant de penser à toi. Cinquante ans que toi, Grand-Mère, tu penses à Grand-Père avant de penser à toi. Grand-Mère, tu as toujours attendu avec impatience le soleil et l'été. Toi, Grand-Père, tu préfères de loin la neige et l'hiver. Pourtant, Grand-Mère, tu dis que Grand-Père est le courant d'air frais qui rafraîchit ta vie. Et toi, Grand-Père, tu aimes dire que Grand-Mère est le rayon de soleil qui éclaire ta vie.

Comment peut-on vivre ensemble si longtemps malgré les tempêtes et les orages ? Comme vous le dites si bien, « c'est plus facile d'affronter le sale temps quand on est deux ».

Votre grand secret n'est pas secret, tout le monde le voit : vous vous aimez. Votre amour a grandi, parce que vous l'avez voulu. Aimer, ce n'est pas se laisser bercer par le vent, c'est vouloir. Vouloir être deux, ensemble. Et parfois, faire des efforts pour aider le vent à aller dans le bon sens. Dans cette aventure, vous vous êtes appuyés sur Dieu. Vous avez compris petit à petit ce qu'est son amour. Le vôtre s'est construit à son image.

Nous vous souhaitons encore des milliers de jours au soleil des cimes. Et quelques orages, parce que, on le sait : vous aimez ça !

Vos enfants, vos petits-enfants et votre arrière-petite-fille

Est-ce que
ma vie sera belle ?

Est-ce que je serai plongeur
Ou bien infirmier ?
Est-ce que je vivrai en Afrique
Ou à Carcassonne ?
Est-ce que j'aurai sept enfants
Ou vingt-trois canards ?
Est-ce que j'irai sur la lune
Ou sur la banquise ?
Est-ce que je parlerai danois
Ou bien japonais ?
Est-ce que j'aurai un tandem
Ou une Formule 1 ?
Est-ce que *quoi* ? Est-ce que *où* ?
Est-ce que *quand* ?
Je n'en sais rien, moi, de ma vie,
Et c'est ça qui est bien !
Il peut tout se passer, il peut tout arriver,
J'ai tout mon temps, j'ai toute ma vie.
Bien sûr, je ne pars pas sans rien :
J'en ai, des bagages, pour ce grand voyage,
Des sacs à dos et des valises.
Avec tout ce que je suis déjà,
Mes talents, mon intelligence, mes goûts,
Mes envies et mes rêves…
Et puis je ne suis pas tout seul.
J'ai mes parents, qui m'aiment
Et qui m'aident,
Mes frères, mes sœurs et mes amis,

Et tous ceux que je ne connais pas encore,
Mais qui un jour ou l'autre,
Pendant dix secondes, dix ans,
Ou bien plus longtemps,
Compteront dans ma vie.
Et puis il y a toi, mon Dieu, mon Père.
Toi aussi, tu m'aimes, toi aussi, tu m'aides,
Et tu as un grand rêve pour moi :
Tu veux que je sois heureux.
Tu veux que j'aime et que je sois aimé,
Que j'écoute et qu'on m'écoute,
Que je donne et qu'on me donne,
Que je sois libre, que je sois fort,
Que je rie, que je crie,
Que je rêve, que je crée,
Que je vive au soleil,
Que je vive sous la lune !
Tu veux que je réussisse ma vie.
Je sais que quelquefois la vie est dure,
Qu'elle réserve des surprises,
Des bonnes et des mauvaises.
Mais j'ai tellement envie
De réussir la mienne
Que j'ai confiance.

J'aimerais que ma vie soit ce que j'en ferai,
Et j'aimerais qu'elle soit belle.
Ma vie sera belle.

Index

Illustrateurs

Claude Cachin
chap. 9 sauf p. 169, chap. 11 sauf p. 198, 199
Marc Daniau
chap. 8 sauf p. 160, 161
Sylvie Montmoulineix
chap. 3 sauf p. 52, 53, chap. 7, p. 169 du chap. 9, ch. 12 sauf p. 222, 223
Nathalie Novi
couverture, chap. 1, chap. 2, chap. 6 sauf p. 106, 107, chap. 10
Marcelino Truong
chap. 4, chap.5, p. 52, 53, 106, 107, 160, 161, 198, 199, 222, 223.

Index
La Péniche, 26, rue Baudin 93100 Montreuil

Impression et reliure : Pollina S.A. - 85400 Luçon
N° d'éditeur : 4288
N° d'impression : 76244